KB077129

못다한 이야기

최혜선 지음

못다한 이야기

발 행 2024년 1월 16일
저 자 최혜선
펴낸이 허필선
펴낸곳 행복한 북창고
출판등록 2021년 8월 3일(제2021-35호)
주 소 인천 부평구 원적로361 216동 1602호
전 화 010-3343-9667
이메일 pilsunheo@gmail.com
홈페이지 https://www.hbookhouse.com
판매가 | 39,600원
ISBN 979-11-93231-05-0 (03810)

못다한 이야기

최혜선 지음

행복한북창고

머리말

구름 걷힌 하늘은 맑고 맑은데 길 잃은 철새가 되어 이 거리 저 거리를 헤매다가 정착한 곳이 안식처가 아닌 가시 방석에 앉아 보지도 못한 체 다시 떠돌이가 되어 이 고을 저 고을 맴돌다 길은 멀고 몸은 병들어 해는 서산에 지더이다. 날개를 펴보지도 못한 체 비바람에 젖고 꽃도 피기도 전에 꺾여 버려 말라 버리고 푸르던 들은 간데 없고 하늘만 바라보다 늙어버렸지요. 나를 버린 부모도 가슴에 묻고 내가 사랑한 사람은 지척에 없으나 철 없이 웃고 울다가 굴포천에 둥지를 틀어 살아간답니다. 세월은 흐르고 흘러도 추억은 머물고 목마른 대지 위에 단비가 내리듯 인생은 물처럼 흘러 저만치 가자고 하고 뒤돌아 뒷걸음만 하던 나는 이만치 오네.

고름을 짜내듯 지난 날의 아픈 추억을 끄집어 냈습니다. 옷소매를 적시어 보았습니다. 흥분을 가라앉히지 못하고 울먹이며 글을 써내려 갑니다. 쓰면 쓸수록 나무껍질 되어 실타래처럼 아픈 상처가 벗겨집니다. 후련한 마음에 사로잡히고 머지 않은 날에 가게 될 무지개 넘어의 세상을 보게 된다. 웃으며 반길 것 같습니다. 내 부모님을.

한치 앞도 못 보는 게 사람이지요. 이렇게 저렇게 살다 보니 내가 누구인가를 생각케 하는 시간 속에 나를 꺼내 봤답니다. 가도 가도 끝이 없는 방랑길에서 헤매이다가 32년전에 단돈 2만원 들고 인천에 와서 월셋방을 얻어 살다가 처음으로 식당을 연 게 인천에 온지 3년만에 가게 주인이 되던 날, 기뻐서 울었답니다. 그렇게 저렇게 제 나이 35살 때까지의 기억을 잊은 체 살며 식당을 운영하며 3년만에 집을 샀지요. 강화에 사기꾼을 만나 날리고 또다시 돈을 벌어 울 맹꽁을 만나 계산동에 또 집을 사서 예쁜 딸을 낳았답니다. 이사를 몇 번씩 하며 돈을 모아 모아 늘리고 늘려 지금의 오막살이를 면하였지요. 오래된 집이나 햇볕 잘 들고 굴포천이 지척에 있어 살기 좋지요. 아웅다웅 궁시렁 궁시렁 이러쿵 저러쿵하며 세월은 흘러 예순이 넘은 나이가 되고 온 몸엔 독버섯처럼 아픈 곳이 퍼져 살지만 아프다 하지 않아요. 소용 없는 일이기에 씩씩하게 살고 있답니다. 눈이 멀어 아는 이도 못 알아보고 살짝 가는 귀도 먹고 적당히 걸음도 절룩 절룩 왼쪽발바닥은 감각이 없어도 아픈걸 몰라요. 하도 많은 날을 속앓이를 해서인지 아무것도 몰라요. 그러다 죽으면 그만이다 하고 살지요. 더 이상 숨어 울지도 더 이상 숨을 곳도 없어요. 숨지 않으렵니다.

이제 겁도 안 난답니다. 할건 다 하고 살 겁니다. 건강이 허락하는 한.

2023. 11월

글쓴이 최혜선

덕유산

마을 입구에 들어서기도 전에 기암괴석은 금강산도 울고 갈 정도의 풍유를 자랑하고 난쟁이 고목 소나무가 버티며 곧 쓰러질 듯한 아름다움은 내가 마치 하늘에 있는 듯한 곳이었다.

40여 년 전에 폭우가 쏟아져 자연이 빚어낸 기암괴석이 무너져 아스팔트 길에 뚝방으로 쓰러져 그 빛을 잃었지. 폭우가 쏟아지고 며칠 후에 가서 본 내 고향은 옛 모습을 찾아볼 수 없게 변하여 나는 주저앉아 통곡을 했다. 소나무도 어디론가 쓸려가고 많던 돌도 없어지고 마치 신선이 되어 동무들과 놀던 곳이 사라졌기에 지금의 모습은 옛 모습을 찾아가긴 하지만 어림도 없다. 울 할배가 살아계실 때 모습은 없지만 그래도 다른 곳에 비하면 예쁘다. 지금은 참나무가 뒤덮어 흉한 모습이지. 소나무도 그 많던 소나무가 사라지고 물소리마저 고요하구나

산소에 가다

여전히 점터에 기암괴석은 남아 있다. 덕유산에 봄은 늦은 봄이 오려나. 생강나무 꽃만 노오란 꽃만 벙실벙실 웃고 있네. 생강잎이 나오기도 전에 꽃부터 방실방실 날 반기네. 이처럼 한가한 날에 날 반기네. 울 할배 울 할매가 누워계신 이 자리는 바람 한 점 없구나. 마치 오소리가 새끼를 품은 듯 따뜻하네. 두 팔을 벌려 춤 한번 추어봄세. 이 예쁜 손녀딸이 왔노라고. 태평가를 불러보네. 까아만 황나비가 맷동을 도는구나. 할배인 듯 기뻐라, 할매 본 듯 좋아라. 앞산에 진달래꽃 내 꽃보다 이쁘리요. 안방재의 살구꽃은 손녀 볼을 닮았구나. 어제 거른 우술갈대주에 술 한잔에 취해보네. "손녀 딸에 어깨춤에 나비 앉았네."

신선

굽이굽이 산 중턱을 따라 청용환 폭포아래 약초 봇짐을 풀고 먼저 마중 나온 배선비가 시조를 대신하네. 손녀딸 장구 소리 어깨춤 덩실 더덩실 놀라신 폭포가 하늘을 나는구나. 두 약초꾼은 어디가고 옥황상재의 장남인가, 차남인가 하여라.

길동무 손녀 손엔 막대기가 장구채라. 바위를 두들기며 배틀가를 부르는데~배틀노세~배틀을~노세 옥망강에 배틀을 노세~어이야~배짜는 아가씨 배틀 노래~수심만지노라 두 선비의 학춤은 구름을 더 높이고 손녀딸은 구름 위에 앉았네. 학이 되었네.

구름 타고 부르는 손녀달의 장타령은 온 계곡에 울려 퍼지고 폭포를 타고 노는 신선은 날 기운 줄 모르네. 누더기 삼배 적삼은 벗어 던지고 하이얀 콧수염이 바람에 날리우니 수염에 빛이 되어 해가 숨었네. 천둥번개 심술에 ~ 집에 가자구나, 오는 길에 흥이 덜 가셨나 보다.

"노세 젊어서 노세, 늙어지면 못 노나니."

닮았네

울 할배는 날 "닮았네."
울 할매는 나를 "닮았지."
큰아버지는 "네가 날 닮았구나."
모르겠지만 약초를 케며 사는 것도 나 하나요
글을 쓰며 노는 이도 나 하나니라.
집을 짓는 이도 나 하나요
시조를 읊음도 나 하나라
닮았네 닮았네
다 닮았네.

맹이

노을아 맹이 못 봤니
나 하고 냇가에서 신금 캤는데
동에 번쩍 서에 번쩍 할배를 닮았네.
아니 차분하게 수 놓고 글 쓸 때는 할매야
맹이가 말한다
왜 또 내 얘기야
신금은 시금털털하여 요상한 맛을 내지만 우리 몸엔 이로우
며 봄에 약 내려면 꼭 필요하다.
울 꿍이 맹꿍이들에게 먹이려면 잎이 돗기 전에 약재를 준
비해야 한다.
맹이도 먹어야징. 요즘 맹꿍이가 속이 쓰리다나, 뭐래나.
에그 술 좀 작작 먹지, 좋은 술은 왜 담그나.

사거리 주막집

오늘은 칡주에 소고기 육개장이다. 칡술은 간에 좋고 든든하며 기력 회복에 좋다. 육개장은 토란대, 숙주, 고사리, 대파, 산초 기름에 고춧가루 볶다가 끓이면 맛있다 못해 쓰러지지렁.

얼큰하며 시원하여 기력 보호에 그만이지. 부추겉절이도 있지요.

굴포천의 식구들은 벌써부터 난리다. 갈대밭에 맹꽁이가 부스럭거리며 나오고 냄새에 도사인 까치 형사까지 뒤에 까마귀도 왔다. 길잡이 황새에게 이른다. 수달을 데려와 키 크고 잘생겼잖아. 듬북이 샘나서 말한다.

오늘 수달 안 나왔데. 귀여운 두루미도 오려나, 안 온데. 못 온다고 삐졌데.

왱. 수달만 좋은거 먹인다고, 아닌데, 속도 모르고, 맹꽁이당. 듬북이 심술을 놓는다.

반딧불

밤은 밤인데 모르겠다, 모르겠다고
별인지 반딧불인지 모르겠다니까
낮이면 물 속에서 잠만 자다가
밤에만 살금슬적 나오잖아
물 속에 비친 모습 보라고 보라니까
따라오는 것도 똑같아
"똑같다고"

물방개

손톱만한 물방개가 쏙 나왔다 쏙 들어가네.
안방재의 연못에 소금쟁이 봐라 널뛰잖아 야~올챙이다.
징그러워, 실뱀이다. 무서워, 장수풍댕이다. 뻐꾹이가 나무 위
에서 울어대고
우렁이가 주먹만 하네. 잡다가 빠진다고 멀리 인삼밭에서 큰
아버지가 부르네.
집에 가자~인삼 한 뿌리 케서 흔드신다~
아무에게도 말하지 말아. 너만 먹어. 네가 건강해야 해. 큰
주먹만한 인삼을 다 먹었다.
그건 산삼이었다고. 몇 십년만에 말씀하시네.

두꺼비

두꺼비인가 하면 맹꽁이고
맹꽁이인가 하면 두꺼비다.
난 모르겠다.
모르겠다고 맹이가 모르면 누가 아노
아니 닮았잖아. 어찌보면 똑같아.
두꺼비는 독이 있고 약재로도 쓰인다지, 옛날엔
맹꽁이는 독이 없다지
모르겠다 누가 누인지
난 잘 모르겠다.

물오리

- 두 손녀딸에게

이름을 잘못지었나 봐요.

할매가 말한다. (할부지가 오리라고 미운 오리)

새끼라고 할걸. (싫어, 싫다고⋯.. 내가 왜 미운 오리야.)

내 죽으면 낙동강 오리알이 될텐데. 그게 무슨 말인지 모른
체 좋아 좋다.

에그 우리가 죽으면 저 두 놈은 어째요.

또 운다, 할매 할배가.

맨날 물 속에서 놀아대다 병 걸리겠어요.

란다. 구천동 계곡은 얼음장이고 물 속에서 놀던 나는 밤새
바들바들 떤다.

아침이면 물 속에서 논다. (이리온 이리오라고 물귀신이 나
온다. 호랑이가 뒤에 있다. 나무꾼이 너희 옷 감춘다. 온갖
소리로 날 부른다.)

할부자기 부른다 약초캐러 가자고~

벌써 집에 왔네~할부지 산에 가자~

가자고요.

맹꽁이와 두꺼비

맹꽁아~저기 두꺼비 네 동생이 온다.

어 아니네, 네 짝꿍할래, 내 친구할래.

맹이가 안돼, 안된다고. 소리지른다.

두꺼비는 화나며 무서워, 독이 있데.

속 마음은 맹꽁이 동생이 옆에 없으면 어쩌나 싶다.

한번 실패했으면서 왜 또 지랄이야.

맹꽁이는 놀래 놀자 구르고 난리났다.

가지 말라고 두꺼비한테는 너 두꺼비 발로 차면 무섭다.

정말 두꺼비 뒷다리는 힘이 장사다.

맹꽁이가 발에 차여 물에 떠내려 갔다.

그래도 노올래~

안된다고 안된다니까.

살다가 살다가

- 노래 최혜선
- 작사 작곡 최혜선

살다가 ~ 살다가 보니~
어쩌다 어쩌다~ 보니~ 요만큼 왔네. 와버렸네~
걷다가~뛰다가 넘어지다가 ~ 가 ~ 가~
구르다~ 구르다~ 구르다 보니~
여기까지 왔다네~
해와 가는가 했더니~달이 오고
달이~가는가 하였더니
~노을이~오네
~급하게 노을을~ 불러봤으나 달이 먼저 와버렸네
웃다가~웃다가~보오니~요만큼 와아~버렸네~
저 달도~기울줄~내 모른체 저 이별도~떨어지는~줄도 모
른 체 웃다가~울다가~보니
천둥이~따라 오는 줄~ 몰랐네~
번개가~치는줄~ 내~몰랐다네 우짤고~우째할고~
내 진정 몰랐네
나는 몰랐네

감추어진 사진

텅빈 벽에 걸어야지
꼭 집어놓고 걸지 못한 체 서럽다
맨날 매일 보고 싶어라
애달퍼라 애달퍼
꼬옥 꼬옥 숨겨 놓을까
씽크대 문 뒤에 사진이 붙어 있다
날 보고 웃네
두 아들이 숨어 있네
날 숨바꼭질 하잔다.

올챙이

퐁당 퐁당 물장구 치잔다.
오오라 오리로구나
지느러미도 있네
올챙인가봐
아니야~
개구리 될거라고
나는 엉아 될거야
엄마도 된다고
에그 얼른커라 올챙아

바람

놀랬잖아
바람은 거침이 없고
물결은 거세네
햇볕에 비춰진 빛은 반짝반짝
반짝 빛나는 별인가
눈부셔라
눈 감아도 보이네.

꽁이 주막집

거센 바람이 몰고 와 버들가지를 흔들어 놔도 잎은 여전히 푸르고 척척 늘어진 가지 마다 잎새를 안고 바람은 굴포천을 뒤덮어도 맹이는 술을 빚어댄다.

요즘은 무우값 보다 싼 인삼을 시루에 9번 쪄서 봄바람에 일주일 말렸더니 홍삼이 됐네. 홍삼주를 담아 봄기운을 돌아본다. 울 꽁이들이 잘도 먹으려나~나는 나도 먹을래~먹는다고 듬북이 날리다. (그래 먹으라고 드시라구요.) 누룩에 홍삼은 겹겹이 넣어 물을 부으니 시커머라 색깔은 검어도 향긋한 인삼내음이 난도 난다고. 인삼 뿌리를 조금씩잘라 먹걸리잔에 띄우고 잣을 한두알 띄우니 예뻐랑~하얀 그릇이 어울리려나~좋아라 ~맹이가 한사발 먹더니 취했다보다. 에그. 술도 못 먹으며 왜 마시냐. 안취했네, 안취했다고. 안주는 머위나물 무침이다. 쌉쌀한 머위가 좋겠지 된장 조금 넣어 들기름도 넣고 백초액 조금 넣자. 오늘은 몸보신이당.

맹이

꽃도 시들하고 마음도 산란하네. 맹이가 심란한가 보다.
거울을 달아 달라고. 난리 난리더니 거울만 보면 운다 울어.
울보가
굴포천이 거울인데 내가 안 보여 할머니인가, 아니야, 아니라
고 14살이라고 맹이는 이제 14살이양(맹꽁이 말한다. 그래
애기다, 애기야. 굴포천 갈대밭에 얼굴을 묻어버렸다. 또 병
이 도졌나 보다. 맹꽁은 이뻐, 이쁘다고 나오라고 굴포천이
시끄럽다. 맹이가 엉엉~울어댄다. 시끄러워 시끄럽다고 맹꽁
은 나무 위에 올라 맹이만 바라보고 듬북은 애가 탄다. 오늘
은 굶어야겠다. 주름도 없고만 원래 맹꽁이는 두더지처럼 피
부가 거칠잖아. 맹이가 바람났네. 왜 저래. 아니야 아니라고
아니라니까.

봄

풋풋한 풀내음이 가득한 굴포천을 거니나니 싱그러운 냄새에
마음마저 갈피를 못 잡고
앞다투어 피는 꽃들이 밤하늘에 별인가
가로등 불빛 사이로 살구꽃잎이 눈처럼 날리우네
풀피리 나무는 어느새 푸른 머리를 풀었구나.
포플라 나무있네. 벗꽃잎은 꼭 다문 입술 열려나 보다.
아니 조금 벌렸네.
이러다 단비가 내린다면 촉촉한 입술은 웃음을 못 참고 터
트리려나
웃음보를 터트렸나 보다.
언덕 위에 수양버들이 바람에 날리우며 눈치 없이 개나리
가지를 깨우고
무거운 단비에 꽃잎 떨구네
꽃잎 떨어지네.

가루

간질 간질 근질 근질
꽃가루가 날리우네
극적 극적 글거적 대지만
노오란 수술은 날리고 만다
켁켁 재체기를 하여보지만 아랑곳 없다
황사에 섞여 날려 든다
물오리가 소리 지른다
물을 보라고 보라니까
누렇잖아 듬북이가 말한다
이 곳 물은 원래 안 깨끗하거든
그럼 너는 왜 먹냐
꽁이가 말한다
나도 먹는데

덕유산

덕유산에 봄이 왔구나, 왔다구요
점터에 가자 보면 개울 옆에 자동차 바위가 삐뚤게 기울어
있지
지금도 있다고
나 어릴 적엔 그렇게 컸는데, 에게 작잖아
나를 할배가 겨우 들어 올려놓고 부릉 부릉 하면 삐뽀 삐뽀
하였지.
나는 자동차 바위에 앉아 바꼼살이를 하며 놀았지
풀잎을 찌여서 나물이라고 하고 진흙을 말아서 수제비를 뜨
고 항아리 깨진 것 다듬어
그릇 접시하고 밤쭉지 나무에 끼워 수저하고 할배야 밥먹어
아~ 하면 할배는 입을 벌리며
습~맛나다 하며 놀았지, 그치 할배야~
진달래 따서 입에다 넣어주셨지, 아~습 하며 콧수염 긴 할
배가 그리워라, 보고 싶어라~

맹꽁이 주막집

맹이는 뽕나무 순이 나오기 전에 뽕나무 뿌리를 케어 잘게 잘라 항아리에 넣고 고도밥을 넣어 술을 담근다. 쿵~쿵~술 냄새가 향긋한가 하면 달큰하네. 울 꽁이가 난리 났다. (빨리 달라고)

맨날 먹어서 코가 빨갛잖아. 맹이는 잔소리를 하면서도 거르지 않은 막걸리에 밥알이 동동 떠있는걸 제일 먼저 꽁이에게 준다.

먹어봐~어때, 맛있지~맛있지~

아직 안 넘어 갔어, 그 놈의 성질은

뽕나무는 당뇨에 좋다, 다 좋아. 다 좋다고. 맹꽁이 말한다.

갈증도 가시고 오늘은 잎을 봄에 말린 뽕잎 무침에 뽕나무 막걸리라 이러다 술의 대가가 되려나.

국은 어제 박촌가서 뜯어온 원추리 국이다. 시원하다 못해 깔끔하다. 원추리는 속을 편하게 하며 약초이다. (자전거로 갔었어, 맹이가 죽는 줄 알았어.) 극성맞다 정말, 오늘 주막집도 몸보신 하네.

나도 먹을래 먹는다고 어이와 어이 오라고.

몰랐네

몰랐네, 모올랐네, 그대가 날 속일 줄은 진정 모올랐네.
아지랑이 몰고 온다더니 아니 오고
봄을 잊었나
날 잊었나
널 생각하네
이 봄이 저 멀리 가려는데
멀어져 가네
봄을 잊은 그대여.

그 총각

이름 없는 그 총각이 날 울리네
더벅머리 이 총각이 손목을 잡고
뿌리치는 그 마음도 서러워라
이름 없는 그 사내가 날 울리네
인정도 없는 그 총각이 날 보고 웃네
인정도 없는 이 사내가 날 사로 잡네
내 맘 흔드네

그림자

날 좋아하는 걸 넌 알고 있겠징
말하지 않아도 늘 앞서거니 뒷서거니 하는 건
날 좋아하잖앙
맘에서 마음으로 주고 받지 않아도
그림자만 보면 알 수 있다고
슬플 땐 힘 없이 걷고
기쁠 땐 빨리 걷잖아
난 될래 될레야
나는 너의 그림자 될래
네가 좋아하잖아
그으 그림자를

서러워

서러워 못 살겠다
못 살겠다고
외로워 외로워서 못 살겠다니까
더러워 더러워서 못 살겠다고
창피해 창피해서 못 살 것 같기에
숨어 버릴까
어디에 어느 곳에 숨어야 하나
찾을 텐데 뾰족새가
저 해가 저 달이 저 별이
천둥번개가 찾아내겠지.

고모

울 고모는 머리가 곱슬 곱슬
내 머리는 고불 꼬불
울 할매 머리는 굽슬 굽슬
우리네 식구들은 털복숭이 할매를 닮았네, 울 할매를
고모가 웃었네, 날 보고
필여가 놀자네, 날 보고
자두가 익어 갈 때면
고모집 가야지, 자두 먹으러
앵두가 익을 때면
고모집 가야지, 앵두 따 먹으러
망우절에 가야지
고모부 놀리러.

더러워

날 보고 더럽단다, 동무가
날 보고 바보란다, 옥화가
날 보고 무식하단다, 친구가
날 보고 창피하단다, 못나서
나 하고 놀지 말란다, 어른이
나 하고 죽으란다, 저 별이
살자니 화가 나고
죽자니 어찌 죽어야 하는지 모른다
모르겠다고
모른다구요.

동무야 노올자

복남아~노올자. 낑낑거리고 돌담을 넘어 간다.

복남이 언니 희자가 복남아, 혜선이하고 놀지마. 왜. 더럽잖아. 부모도 없고. 무식하잖아. 학교도 안 보내고, 일만 부려먹고, 바보잖아. 착해 빠져서.

복남이 말한다. 놀거야, 놀거라고, 혜선은 똑똑해서 놀아주는 방법을 알아, 바보 아니야. 덤벼들지만 희자 언니는 아랑곳 없다. 놀지 말라면 놀지마.

나는 왜, 더러운 걸까. 아침밥도 굶고 외갓집으로 간다. 대문에 들어서려는데 이모와 외삼촌이 외할머니에게 혼난다. 혜선이 오면 등을 돌리라고 예뻐하면 자꾸 찾아오고 엄마를 못 잊으니 정을 떼라고. 그 말에 나는 얼어버렸다. 멍하니 서서 하늘을 본다. 어디로 가야 하나. 이 세상에 왜 태어나서 손가락질을 받고 더럽단다 날 보고 나는 이 세상에서 없어져야 한다. 서러워, 서러워라.

할부지

할부지 왜 나를 낳았을까, 낳지 말지

떼끼 이 놈, 누가 그랬어. 내 새끼한테 어떤 놈이. 화를 낸다.

모두 다 내가 더럽고 창피하고 못났데, 사촌도 놀지 말라고 동무들도 안 만난데. 어쩌지.

할부지 그냥 나를 땅에다 묻어줘, 연못에 쳐 넣어 나는 죽을래. 엉엉 울어댄다.

괜찮아, 너는 살아야 돼. 내 몫까지. 너는 바보도 아니고 더럽지도 않아. 보라고, 물 위에 비친 너의 모습이 얼마나 예쁜데. 내가 업어 줄게. 한숨 자면 괜찮으련다. 엉엉 울다 숨도 못 쉰다.

꼬마랑 놀고 할배랑 놀고 새들도 꽃순이도 이 세상은 너의 것이야. 개울에서나 하늘이나 땅도 더를 위해 살거다. 바람은 너의 벗이고 내 죽어도 너의 그림자 되어 네 뒤를 지킬 것이다. 서러워 마라 아가야. 두려워 마라 옥남아. 울지 마라 내 새끼야. 니 울면 내 눈에서 피눈물이 난단다. 자장가를 불러주어 깊은 잠을 자고 나니 자신이 생겼다. 나는 산신의 손녀요, 명당의 자손이다.

꽁이 주막집

벗주가 익어가네, 사거리 주막집에
벗꽃주가 맹이의 벗꽃주를 맛보러 가야겠다.
맛있어요, 맛있다구요
달달하고 향긋한 꽃내음이 난다구요.
요즘 벗나무가 물이 올라 꽃을 피우고 몽실몽실 봉올 봉올
꽃을 피우네.
세찬 바람에도 아랑곳 없이 피워댄다네.
맹이가 한 바구니 벗꽃따서 누룩에 버무려 벗주를 만들었네.
한없이 먹을 것 같으네.
달콤한 맛에 반하고 봄꽃 향기에 엎어지네.
안주는 민들레 들미나리 겉절이징.
맹공이는 끝없이 먹는다.
그러다 취할라, 벗꽃주는 속도 편안하게 하니 많이 잡수시오.
민들레 미나리는 간에 좋으니 많이 드시고
미나리는 해독을 해주니 자주 해주는 음식이다.
에라 모르겠다, 오늘은 맹이도 취하련다.

벗꽃

몽실 몽실 몽실 몽실
방실 방실 방실 방실
복실 북실 북실 복실
벗꽃이 피려나 봐요
피고 있어요
피었다구요
날 보고 웃어요
웃고 있어요
널 보고 웃제요
그냥 웃어요.

벚꽃

예뻐요, 예뻥요
이쁘다구요, 보라고 보라구요
꽃잎이 날려요
바람이 삼켜요
보라고 보라구요
날 보라구요
머라고 머라구요
벚꽃보다 내가 더 예쁘다구요
거 짓 말

개나리

개나리가 속 없이 웃어요
어~그러다 단비가 내리우면 금방 떨어진다
입 다물어라
그냥 웃어요
깔깔 거리며 철 없이 웃지요.
미쳤어, 미쳤나봐
퍼질러 앉아 웃네
날 보고 웃잖아
바보가
널 보고 웃잖아
철없이

목련

벌름 웃더니 날 보고 히죽 웃더니
널 보고 버죽 웃더니
쟤 보고 금새 울잖아.
"목련이" 바람에 꽃일 떨구고
멍하니 서 있네.
나무만 나보고 고개 숙이네.
목련이 속 없어라.
"목련이"

할배

할배는 무섭다. 화를 낼 줄도 모르고 눈 한번 크게 뜨지 않았징.

고우시지 성품이 반듯하지 성향이 잘생겼지. 맨날 웃어 속 없이.

키가 크고 날세지. 신선이다. 말 그대로. 동에 번쩍 서에 번쩍

발소리가 땅을 울리지. 힘이 장사지롱. 눈이 깊고 까만 눈동자가 별처럼 빛나지 온 산을 담을 점도의 크시지. 목소리는 작지만 곱지. 시조를 읊으시면 새들이 날아들고 나비가 춤을 추지. 춤도 잘 추시고 참 좋은 분이셨지. 다정하고 허허허 웃으시고 수염을 길고 길어 나뭇 가지가 잡아도 허허 이놈아. 하지만 해마다 5~6월이면 무섭다. 찬바람이 쌩쌩 불지. 헛기침만 하고 다닌다. 무섭게. 날 보고 우신다. 꽃보고 울잔다. 달보고 우신다. 아들 생각에. 별보고 가잔다. 저 멀리.

산지당골 할배

덕유산에 깊은 골 맑은 물은 깨끗도 하고
산지당골 산신재에 한서린 사연 아래
오뉴월 푸른 초원은 말이 없고
갓 끈 고이 묵고 목욕재개 숨겨놓은 제사상은 서럽디 서러
워라
먼저 보낸 큰 아들은 산신각에 머물고
며느리 손자는 마중을 나왔구나
달빛 아래 먼저간 며느리 손주가 귀하고 귀하거늘
"내" 아들만 하오리오.
옥남아, 불 밝혀라, 보자꾸나, 내 아들아.
네 모습 그대로인데 내 모습 변했구나.
제삿날 국시 한 그릇 배고프지 않았더냐.
제사장에 시 한 수 곡조는 널 본듯 하구나.
내 너를 잊을소냐.
꿈엔들 잊으리까, 희멀그리 내 아들아, 어화둥둥 내 새끼야.
이마가 바뀌어도 동생들을 잊지 마라.
새 어머니 야속 마라, 원망 마라.

애비를 용서해라. 못난 애비를

바삐 가자, 바삐 가자. 닭 울기 전에 어여 가자.

며느님 받으시요, 내 정성 받으시요. 손주도 업고 가소. 불쌍하여 못 보겠소.

내 정성 받자옵고, 이 고을을 무시 마라.

너의 한은 내 가슴에 묻고 집안의 모듬 환란 가져가다 물 있는데 뿌려다오.

이고지고 갈 적에는 무거워서 못 가리다.

제상장의 곡은 밤새 이어지고 어린 나는 소가지 불 들개하고 무서워 못 가겠다던 날 왜 데려가서

제사장의 곡을 가르쳤는지, "모르겠다구요."

지금의 나는 할배의 가르침으로 제사장의 곡을 알지만 1년에 한번 쓰이는 우리 집안의 제사에

한복을 곱게 입고 목욕재개 하고 먼저 간 영혼들을 달래여 봅니다.

할배의 곡만은 못하지만 13살 어린 나이에 듣고 보았던 노래를 하여 봅니다.

할배의 깊은 뜻은 먼저 간 아들 가족의 안위를 걱정하였기에 아무에게도 말하지 말라며

몇 년을 살아 생전 제사를 지내오면서 나에게 부탁하지 않았을까 생각하여 삼천대천에 불공을 드려봅니다.

능력이 되던 안되던 힘이 되는데 까지 합니다.

큰아버지의 이름 석자와 할배의 눈물에 아니 할 수가 없기에 산 자와 죽은자의 갈림길에서 헤매일 때도 있지만 나, 내가 살아있는 한은 할배의 뜻을 받자올겁니다.

할배야~나, 잘하고 있지. 큰아빠 연길 큰아빠 걱정 마세요. 제가 있잖아요. 있다구요.

봄을 잊은 그대여

봄을 잊은 그대여
잊었나 보다
봄이 오는 걸, 것을
날~나를 잊었나
봄이 되면 온다더니 아니 오고
봄은 멀리 가려 하건만
노을 뒤에 그림자만 따르네
~달그림자만~

이슬

- 입맞춤

이슬에 입맞춤으로 생기를 더한 꽃잎은
초롱 초롱 초롱 해도
이내 이슬을 삼켜보지만 입안에 머금는다.
야속한 봄바람에 휘둘려 떨이지지만
봄의 여왕은 짧은 이슬을 그리워하려나
설레었던 이 봄을 기억하겠지
이슬 되어.

잎새

잎이 먼저냐
꽃이 먼저냐
아웅대다가
벗꽃이 꽃잎 먼저 내밀어본다
벌름 벌름 낼름 낼름 대다가
아예 피었다
꽃잎은 피어도 의지 할 곳 없는 잎새는
방황을 하다가 나 온다고 빼꼼이
덧니를 내민다
잎새기가

산딸기

싸리꽃이 필 때면
산딸리 익어가고
고무딸이 피려면
산딸기 떨어지네
논둑에 뱀딸기가 동그랗고 예쁘더니
울 언니가 시집가려나
두 볼이 익었네
딸기 꽃처럼

망둥어
- 순덕언니

찔레꽃 필 때면
망둥이도 뛰더라
외포리 선착장엔
갈매기떼 날아드니
순덕엄니 먼눈에도
망둥어만 보이네

노모의 한숨

- 앉은뱅이 아들 걱정

망둥어 널뛰기는 잘도 뛰구먼
뒷발질 땅개는 밤인 듯 숨고
방구석에 누운 동생
세월 잊은 듯
질질 끄는 두 다리에
갈매기 날개 되어
날아가 보세
저 멀리 지평선으로

진달래 철쭉

앞산에 진달래는 만발하여 수술을 달았네.
너는 뭐하냐고
창꽃에 물어보지만
대꾸는커녕 말이 없네
참깨 심을 때면 피련다.
걱정 말아라.
어련히 필려고
꽃들아 꽃들아.
개나리, 살구꽃, 목련이, 벚꽃이 피었네, 활짝.
며칠이 절정일 듯
나의 봄은 벌써 왔었는데
이제야 꽃 내음을 몰고 온 바람이 코 끝을 간지럽혀도
난 모르겠다
꽃잎이 하이얀 꽃잎이 머리에 앉아
미친년이 되어도 나는 좋다.
며칠의 행복을 짧은 행복을 느껴보고 이 시간만큼은 설레고
들떠서 뛰어 보련다

폴짝 뛰어서 들꽃 가지를 흔들어 바람에 날려보고 입맞춤은
꽃잎을 떨구지만 먹어본다
달달한 벚꽃잎을 가지가 먼저냐 잎이 먼저냐 꽃이 먼저냐
싸워대던 봄도 가려 한다.
가기 전에 더 놀련다. 밤새 달이 빛나고 별이 된 꽃잎도 내
마음에 꽃띠 소녀되련다. 이 밤에.

가뭄에

이 가뭄에도 꽃은 피고 이러다 단비가 촉촉히 내려주면 열매를 맺는다.

벌들이 이곳 저곳 꽃잎에 교배를 해주고 성스러운 자연의 법칙은 이길자가 없다.

어찌 그리 척척 해내며 엮어가는지(세월이) 나비가 날아드는가 싶으면 날파리가 굴포천의 꽁무니에 물을 묻혀 이곳 저곳에 발효를 시켜주고 산란을 한다. 금새 쉬가 깔려 새끼를 낳고 나무 밑에 숨어 있던 새끼가 날아다니며 유산균을 만든다. 분주한 벌들은 열매를 맺으려 하는 꽃잎에 꽃가루를 묻히고 다니고 물 속에 검은 잉어가 산란에 바쁘다 이렇게 봄은 사란의 여왕이요, 성스럽다 못해 존경하는 봄이다. 개미가 마른 나무 속에 알을 낳아 장마 오기 전에 새끼를 낳아 키우고 맹꽁이도 새끼를 낳았다. 예쁜 새끼를, 예뻐라.

잠이 와

가물 가물 아롱 아롱 아롱 거리며
슬그머니 아지랑이가 오려나
눈꺼풀이 잠기는 게 노근하기까지 하네.
눈 감으면 깊은 잠에 빠질 것 같기에 못 감겠어, 못 감겠다
고
어쩌지 자꾸만 졸립다고
자버릴까 밥 먹으면 졸린다고
어쩌지 어쩌라고
날더라, 에라 모르겠다.
자야지
"봄인가봐요."

아들 내 아들

사월의 날에 새벽잠 깨우는 뉘는 누구 누구시길래
곤한 잠을 깨우나
에그 아들 생각이 났구나
내 아들이 어화둥둥 내 새끼야
금을 준들 너를 사랴
은을 준들 너를 사랴
금쪽 같은 내 새끼야
불현듯 잠에서 깨어 너를 생각케 하는구나
"두 아들을"

아들아

우리 두 아들이 씽크대 문 뒤에서 까꿍까꿍하며 엄마를 놀려대다가

엄마의 글 쓰는 방에 떡 하니 걸렸네.

눈물로 얼룩진 사진 몇 장이 잘도 생겼넹. 고슴도치도 지 새끼는 예쁘거늘

특별한 내 아들이기에 더욱 애초롭고 애닯어라. 말 없이 두 눈만 구르며 엄마의 생각과 저의 생각만 하여 왔던 내 아들아. 두 아들은 아무거나 잘 먹어도 시간에 쫓기는 엄마는 해주지도 못했고, 하려 하면 할 수가 없었지. 뭐가 있어야지. 맨날 비어있는 쌀독에 땔감이 없어 추운 방에 변변한 이불도 없이 거지 아닌 거지도 그보단 나을 수도 있지 싶다. 요즘이 제일 행복한 것 같아 엄마는. 숨가쁘게 달려온 세월 속에 가지런히 놓여있는 신발도 보이고 아무것도 보이지 않고 돈만 보이던 두 눈이 어두워지면서 온 세상이 귀하게 느껴지네. 한순간도 놓칠 수 없어 작은 시간도 소중하게 느껴져 맨날 천날 젊을 것 같았고 나는 새도 떨어트릴 정도의 기백이 있기에 겁나는 게 없었지. 지금도 마찬가지야. 하지만 자

식 앞에서는 숙연해 지고 엄숙해지고 고개를 숙이고 떨구게 된단다. (죄인이기에) 무엇을 해주어도 부족하고 할 수 있는 나이는 지나가 버렸고 다시 돌아오지 않는 세월 앞에서 허덕여 보지만 때는 늦으리. 긴 새벽에 나를 깨우는 너의 영혼과 반가운 기운이 내 집 앞에 머물며 사랑과 따뜻함의 온기를 느껴본다. 늘 상 엄마 엄마라고 부르는 맹꽁이들이 그리운 새벽에 단잠을 깨우고 굴포천에 꾸르를 큭큭 하며 일어나서 맹꽁 맹꽁 울어대는 새끼나 보러 가야겠다. 아들아, 벚꽃이 환상으로 굴포천을 뒤덮었다. 벚꽃도 보고 엄마도 보러 오지 않으련, 보고 싶구나. "바쁘다고, 올 수 있다고 그래 맛있는거 해놓을게. 옥상에서 숯불 피워 고기 구워 먹자고 좋지 좋아. 음악도 틀어놓고 뺀질이 수연이 웃는 모습 볼래, 볼래, 봤지, 봤징.

구지가 요즘 춤춘다. 거짓말이라고 알지 알지 봤지 봤지 구찌는 알지.

꽁이도 아는걸 너희들만 몰라.

벗꽃

봤냐고, 보이냐고, 굴포천에 꽃들을 보았냐구요.
왔다고, 왔다구요. 벗꽃눈이 날린다니까요.
벗꽃잎이 바람에 날린다니까요, 보이냐구요.
모른다구요, 꽃이 피었는지도 알 수 없다구요?
에그 왜 사냐
하기는 작년에도 안보이더라
상황에 따라서 꽃도 보이고 눈도 보이고 두 볼을 치고 지나
가는 바람도 느끼는 거지.
내가 기분이 꿀꿀할 때는 계절의 속삭임도 모르겠더라.
모른다니까.

기억

잊지는 말아야지 하면서 잊어버린다
금새 금방 기억조차 하지 못하고
야속하게도 어디서 봤던가 이름이 뭐였지
가물 가물거리다 흩어진다.
먼 기억 속에 머문다.

맹꽁이 주막집 연못

맹꽁이네 주막집에 불이 났다. 불이 난 게 아니고 맹이의 발바닥에 불이 붙었다.

벚꽃이 만발하여 벚꽃 보러 오는 이들 때문에 장사가 잘된다.

벚주를 빚어 꽃 화전에 벚꽃 튀김까지 난리 났다. 맹꽁이 가족은 바쁘다 바빠, 듬북도 거들고 지지배배도 대장간 수달도 한 몫 한다. 맹이의 앞치마에 벚꽃수를 예쁘게 놓아 입고 장사를 하니 곱다 곱다고. 청천리 물개, 갈산리 황새, 삼산동 들개, 나는 자, 기는 자의 축제이다. 아마도 며칠은 날 세워 될 듯싶다. 안주에 반찬에 꽃도 며칠은 막바지인 듯싶다.

내일은 방아잎으로 고추장떡을 할 생각이다. 청양고추에 고추장을 풀어 부추 넣어 산초잎도 넣고 장떡은 막걸리하고 "자알 어울리지"

그땐 그랬징

방재 동네 가운데 연못 위에 소금쟁이가 나른다. 날라 걷는가 싶으면 뛴다.

신기해라. 잠자리가 소금쟁이 머리 위에 앉았네. 고추 잠자리가 물 밑에 달팽이가 안테나를 세우고 친구들이 오나 안 오나 본다. 금숙이가 말 없이 지나간다. 금숙아~불러도 말이 없다. 물방개에게 물어본다. 쟨 말 못하는 벙어리냐고, 아니 말할 줄 알아. 너하고 놀지 말랬데, 금숙이 엄마가. 그랬구나. 나는 연못친구들과 놀련다.

꽃신

야~꽃신이다. 꽃신 꽃신
할배가 장에 가서 꽃신을 사오셨네.
분홍색 꽃신은 너무 크잖아, 못 신어 못 신는다고
내년이면 신을 수 있어, 할배가 말한다.
지금 신을래, 신을거라고
헐떡거려서 신지도 못하는걸, 할매가 신으면 된다.
품 안에 안고 잔다. 신지 못하고 맨발로 다니면서도 못 신고
하루면 떨어진다.
전부가 자갈이고 돌인 덕유산이기에. 코고무신은 그 이듬에
신을 수 있었다.
어찌나 크던지 아마도 배 만한 것 같았다.

외삼촌

둥글납작 붕어빵, 아니 찐빵이징.

울 삼촌이 맨날 날 볼 때면 등 뒤에 손을 숨기고 궁금하게

만들지.

내 손에 뭐있게, 알아맞춰보기

몰라 음~사탕

아니 뭐있게,

건빵

아아니 개구리 청개구리당

내 등에 넣어준다. 미워 밉다고 삼촌 아니고 찐빵이다.

기우제

- 옛 이야기

산지당골 기우재나 산신제를 올리는 곳이징, 세월이 바뀌면서 옛날 풍습도 사라졌지만 내가 어려서는 이렇게 가물면 할아버지와 동네 어르신 몇 분이 산지당골에 올라 기우제를 올렸었다. 포플라 나뭇가지와 능수버들을 꺾어 물을 부리며 제사장에 곡을 불렀었징.

새 집에 어른신하고 울 할배 복남이네 아버지는 조금 젊다고 심부름을 하시고 해술 아버지 강배 할아버지 웃담에 선님언니 아버지랑 소지를 올리며 시루떡에 새끼 꼬아서 걸어 놓고 여자들은 참석도 못했지. 동네 아이들은 숨어서 보다가 들키면 부정 탄다고 난리 났었징. 몇 년이 지나고 옛 풍습도 사라지고 도깨비 불이야 뭐야 하던 것들이 없어지며 십자가가 함석 지붕 위에 서면서 예수님 어쩌고 교회가 들어와서 미신이니 뭐니 하였징. "기우제, 기우제."

꿈을 이룬 아이

꿈을 꾸고 살다가 꿈을 이뤄간다. 열심히 살다 보면 이루고 산다. 못할게 하나 없다. 자존심만 버리면 된다. 치사하고 더럽다고 걍, 그냥, 에라 모르겠다. 하고 내장은 굴포천에 씻어라.

더러운 물도 괜찮다. 내 속은 더 더럽다. 속이 없이 비어 있는 게 편하다. 나 좋으면 그만이다. 내가 좋으면 그 사람도 좋을 것이다. 그냥 웃어라. 오죽하면 미친년 소리 듣는 게 좋아 속빈 강정, 속 빈 엿이 좋다 좋아. 자존심만 굽히면 행복은 이루어진다. 진짜 소중한 자에게만 굽혀라. 허리를 머리를 두 눈을 깔고 밑을 보아라.

꿈꾸는 아이

내 나이 육십이 넘었지만 언제나 꿈을 꾸는 아이가 되어 살아간다. 남들의 시선 따윈 상관없다. 쑥떡 쑥떡도 아랑곳 없다. 어찌 보면 철 없고 어찌 보면 팔십살 먹은 노친네다. 언제나 꿈속의 덕유산에 야생화 꽃을 그리며 꿈속에 보는 꽃들은 내 마음 속에 머물고 웃는다. 싱긋 싱긋 어찌나 이슬 머금은 꽃들이 크던지, 달만하다. 별처럼 빛나다 만지면 시들까봐 못 만지다가 꺾는다. 방문 열면 꽃이고 손 내밀면 만지는 게 꽃이다. 어쩌다 바람이 몰고 오는 꽃은 방 안 가득 쌓인다. 문을 열지 않아도 바람이 열고 닫는다. 지 멋대로의 세상이다. 울 할배는 논둑에 수렁 옆에 왕골을 지금쯤 베다가 그늘에 말린다. 부드럽게 할때는 소죽 쑬 때, 살짝 쪄서 왕골을 짜신다.

맹이의 한숨

비가 개인 오후의 어느 날 풀내음이 향긋한 숲길을 걷는다.
이 길을 얼마나 걸을 수 있을까
울 구찌와 나만의 비밀장소 두더지 대장간 옆길에서
닭똥 같은 눈물이 쏟아진다.
발바닥은 감각이 없고 신장은 망가져 반 밖에 안 남았고
치유 조차 늦어져 울며 겨자 먹기지만 아랑곳 없다.
아픈 게 대수냐지만 은근히 겁이 난다. 겁쟁이.
그렇게 사는거겠지. 나만 그런 건 아니겠지.

굴포천

사랑이 머무는 자리
그리움이 쌓이는 자리
낭만이 머무는 곳
사계절이 머무는 곳
철새들이 머무는 자리
철새가 쉬는 곳
덕유산을 옮겨왔나, 경치는 그만 못해도
덕유산에 사는 것 같다
산신은 없지만 용궁은 있다
나는 물 있는 곳이 좋다
메마른 땅 보다는 악어 떼는 없어도
검은 잉어는 있다.
오물을 뒤집어 쓴 체 돌담 위에 나와 햇볕을 쐬는 청 거북
도 있고
맹꽁이도 있다.

능수버들

보들 보들 간질 간질 수양버들이 춤을 추나 봐
바람이 불어와 능수버들이 내 볼을 스치네
간질 간질 가렵잖아.
야들 야들 부드러워라.
수양버들이 내 볼을 긁잖아.
바람에 가지가 춤 추잖아
여기 봐 이거 보라고
느물 느물 대잖아.
여봐라 축 늘어 졌잖아.
머리 풀고

바람

바람이 불어와 개천을 뒤덮고
개울은 파도 되어 일렁인다.
가로등 불빛에 반짝이는 별이 되어 물 위에 빛난다.
일렁이는 물결은 별을 모으고
가신 님의 모습은 물 위에 흩어진다.
보고 싶어라.
애써 모아보지만 생각마저도 희미하게 흩어져가고.

나의 사랑아

목이 메이네.
내 사랑이
내 사랑을 불러보다가 가슴이 탁 막히넹
어쩌나 숨이 막히넹
보고 싶어라
그리워라
죽기 전에 볼 수 있을까
그냥 불러본다
사랑아~

열살이당

나의 장기는 열살이란다.

젊어지잖아 좋잖아 그렇다.

거꾸로다 원래 작았는지 어려서 하도 놀래서 그런지 모른다.

젊어 애기로 산다.

좋지 좋다고 삼촌한테 맞으며 크지 않았나 보다

멈췄나 보다

서럽냐고 묻지 마라

굴포천

진흙탕 속에서도 꽃은 피고 열매를 맺는다.
나의 슬픈 역사도 진흙을 뒤집어 쓴 체로
작은 바위에 앉아 햇볕을 쐬는 청 거북과 다를 바 없다.
너의 신세나 나의 몰골은 흡사하구나.
그래도 이게 어디냐.
내 친구 해와 달이 널 위해 빛을 내지 않느냐.
더우면 바람이 불어와 너의 긴 목을 시원케 하고
등~등 뒤에 숨은 천둥번개도 몰려와 비를 내려 주잖니.
나도 나도 구름이 숨어 울지만 그도 네 친구란다.
가끔은 벼락이 놀래키더라도 무지개가 나와 널 반긴단다.
천둥아 번개야
한때는 산란한 마음을 가눌 길 없어 천둥아 벼락이 먹구름
아
비를 내려 이 세상을 뒤덮으련 내 친구들아
호령하며 소리 지른 적도 있었단다.
말을 안들어요. 바보들이 메롱
그렇게 하면 못하게 할거면서 약을 올린다.

요새는 천둥이 번개가 아니 보이네.

자주 보지 말랬잖아, 무섭다고.

아니 보고 싶어, 비라도 쏟아지면 속이 후련하려니

도시락 딸랑 거리며 비 맞고 가는 게 안쓰러워 비가 안 내
린걸 모르나 보다.

비를 몰고 다니는 천둥이 번개의 마음을

맹하잖아, 그러니까 맹꽁이지.

가슴에 담다

지울 수 없는 얼굴 하나가 내 가슴에 남아 있네.
늦가을 길 잃은 철새가 허공을 나는데
내 마음도 길을 잃고 허공을 향해간다.
잊을 수 없는 이름 하나가 입 안을 구르고
늦은 밤 갈대 숲은 스산한 바람만 부네.
텅 빈 새 집은 주인을 기다리고
조용히 그리는 얼굴 하나가
내 가슴에 담아 있네.

인생

노을 빛 물들인 때늦은 저녁 바람
제법 따스한 바람이런가
복사꽃 잎이 지고
살구꽃이 떨어지네
가고 싶어 가는 해도
오고 싶어 오는 달도 없으나
기다리는 자는 있단다.
애써 달이 되어 불 밝히려 안 해도
때 되면 달은 뜨고 그림자도 따르네.

색깔

누구나 다 각자의 삶에 충실하다
말을 안 할 뿐이징
그다지 내세울 것 없을 뿐이고
니는 니 살고 나는 나 사는데 머그리 대수냐 허지만 색깔이
있다.
분홍색을 좋아하는 사람도 있고
빨간 색을 좋아해
난 노란색이야
나이에 따라 색도 변한다.
난 보라색을 좋아해
맹이는 베이지색도 좋아행
맹꽁이가

적석사

망부석의 사연인가
여 스님의 눈물인가
적석사의 새벽 종소리 깊어가네.
산신의 발자국 소리에 애기동자의 발걸음이 바쁘구나.
고목 뒤에 숨었나.
숨어 우는 바람소리
뒹구는 낙엽마저도 가엾어라.
처량한 연불소리 산새 슬피 우네.

애기스님

법당 앞 매돌 위에 새하얀 고무신은
눈이 덮이고 끝날 줄 모르는 염불소리 고목을 깨우네
무심한 달빛은 기우는데
철 없는 여드름은 두 볼에 앉았네.
여 스님 볼에.

큰 스님

동자야 바삐 가자. 날 밝을라
망월리 이 서방네 초상이 났단다.
노 스님의 발걸음은 바쁘거니 신발을 왜이리 벗겨지누
내 동무가 가엾어라.
세월이 야속터라.
지장전 보살들이 바쁘구나
슬피 우는 곡은 바다가 삼켰네.

큰 스님

피식 웃었네, 날 보고
부끄러운 내 손을 보지 않았네.
등 뒤에 숨은 정성을 보았네.
밥그릇은 탑을 쌓고 옷은 누더기에 욕심 없는 큰 스님이 그
리워라.

그리움

잔인한 세월은 잘도 비켜가고
바람만 휑하니 부네.
님이 지금은 가고 없는 이 거리에
낙엽만 휑하니 구르네.
떠나버린 그 사람은 무슨 생각하고 있을까
한번쯤 내 생각 하여 볼까
오늘도 이 거리엔 바람만 휑하니 부네.

기약

지금은 가고 없는 떠나간 사람
텅텅 빈 이 거리에 못 잊어 다시 찾아온 거리엔
철 없는 바람만 부네.
남들은 기약 있어 오고 가는데
나에게는 기다릴 사람 아무도 없구나.
오늘도 이 거리엔 휭하니 바람만 부네.

굴포천

굴포천의 밤은 깊어 궂은 비는 오는데
어느 누가 불어주나 풀피리 소리
하나 둘씩 켜져 가는 가로등 불빛은
내 마음의 빛이런가
굴포천의 밤은 깊어 궂은 비는 오는데
어디선가 들려오는 맹꽁이 소리
하나 둘씩 꺼져가는 가로등 불빛은
허무함이 접어드는 내 마음이런가.

굴포천

청천천이 굽이 돌아 굴포천에 당도하니
고목나무 사이로 비춰진 가로등 불빛에 얼굴을 묻고
놀란 가슴 쓸어 안고 날 반기는 달빛에
물 위에 별 하나 세어나 보세.
굴포천은 굽이 돌아 물길 모으고
하나 둘씩 커져가는 내 마음 모으네.

공허함

점점 약해지는 마음 하나 가눌 길 없어
미친 듯 걸어가다 눈길 모으네
잠시 병석에 누워 이 생각 저 생각
생각 사이로 커져갔던 내 마음을
꽃잎에 날리어 보내리.
나의 잘못이 컸던가
아쉬워라 네 탓으로 돌려버린 시간 속에서
서러웠던 마음마저도 허락 치 아니하는 밤이라네.

공연히

공연히 서러웠나 보다.
괜스레 슬펐나 보다.
불현듯 보고팠나 보다.
부시시 수줍었나 보네.
사는 게 다 그런걸
바보가 공연히 우울했구나.
어쩌나 울었었구나.
울보야
공연히 엄마 생각 했구나 바보가.
아니야, 아니라고.

맹꽁이 주막집

둥굴레 향기가 그윽하넹, 굴포천에. 누룽지 졸이나 구수네.

아니야 맹이가 둥굴레주를 담았데, 맹꽁이가 술을 좋아해서 담금주를 먹이면 소주보다 좋데나, 어쨌데나.

둥글레를 케어 그늘에 한달 정도 말려 가마솥에 볶아서 누룩과 버무려 술을 담근다.

아주 양조장을 차려라.

그럴까, 구천동에 내 땅에가서 차릴까. 그곳에 맑은 계곡물도 있는데,

맹꽁이는 아예 둥글레 술독에 빠졌다. 맛있어나 보다.

듬북이 말한다. 맹꽁이는 20대, 40대까지 하루 소주 10병을 먹었데, 며칠 전에 말했어. 직접 맹꽁이 회사 담 넘어 출근하고 매점에서 소금하고 한 병 쉬는 시간, 땡, 종 울리면 한 병. 점심먹고 한 병, 쉬는 시간 땡 하면 계란하고 한 병, 끝나고 한 병, 어떻게 나가서 먹어, 담 넘어 갔데, 덕구, 상호, 맹꽁이 셋이 회사 퇴근 후에 우리집 치킨집에서 외상으로 긁고 소주 두 병씩 맛나라에 가서 외상, 수조 두 병, 집에 와서 영수와 소주 2병, 딱 10병. 대단하다. 지독한 것들이야.

그러고 어찌 일했냐. 덕구는 죽었데. 사십 못 되서. 둘만 살 았어. 그럼 지금은 덜 먹지 많이 먹어야 하루 두병. 토요일, 일요일은 하루 3, 4병 평일에는 1, 2병. 왕. 짱이다. 쉿, 조용 히 해라, 맹꽁이 깰라.

꽁이네 주막집

꽁이네 주막집이 시끄럽다. 듬북이네 옆집으로 족제비가 이사를 온댄다. 집도 없는데 왜 집이 없어. 맹꽁이가 말한다. 쟨 땅굴이잖아. 나무도 타나 맹꽁이네 마루 밑에서 나왔어. 닭장만 훔쳐본다. 족제비가. 듬북은 나보다 크네. 족제비한테 으시댄다. 넌 날지 못하지. 맹이가 말한다. 어머 털봐, 부드러워라, 예뻐라, 잘생겼잖아. 흥 듬북은 화가 났다. 이쁘데, 다 멋지다지. 맹꽁이 좋아 죽는다. 난 족제비등을 타고 굴포천을 달릴거다, 둘째 꽁이도 나도 나도. 어제는 둥굴레주와 상추 겉절이 오늘은 곶감껍데기가 많아 말린 곶감 껍데기 술을 담아 보았다. 술은 빗을 내지 달달하며 약간 틉다. 안주는 돼지껍데기. 벌써 아침부터 울 꽁이가 항아리 밑에 구멍을 내어 반독을 먹었다. 이러다 출근 못하려고. 맹이가 소리 소리 지른다. 맹꽁이네는 시끄러운게 어울려. 맹이가 살아났나보다. 술 그만 먹으라고.

반장님

아침에 출근하면 반장님, 나오셨어요. 부끄러워요. 경비에게
말한다.
이 어색한 인사가 듣기가 좋네. 남보다 일찍 나와 주위를 다
듬고 직원을 맞이한다.
몇 명 안 되는 직원이지만 따뜻하게 품는다. 우리 일터에는
웃음꽃이 피고 냉철한 눈을 등 뒤에 살짝 숨기고 엄마의 마
음으로 보살핀다.
반장님, 듣기 좋은 말이네.

동이 트네

먼동이 트는 아침에 굴포천은 모락모락 물안개가 피어 오르고
나의 꿈도 모락모락
많은 얼굴이 물안개 되어 피어 오른다
오늘은 어떤 얼굴을 어떤 모습들이 나를 반길까
수많은 이들과의 고운 인사는 가슴에 달고 있는 이름 석자
만큼 빛날 것이다.

소식

바다 건너 머나먼 타국에는 봄이 왔는지
보내 보는 꽃잎 편지는 대답이 없고
휑하니 바람만 부네
북쪽에 머리를 두고 자다가
남쪽에 있을까 생각해보네
해님에게 물어봐도 모른단다, 왱
내 친구 달님에게 여쭈어 봐도
대답은 없네
무심하게도

굴포천

새벽에 밝았구나
참새인지 들새인지
지지배배 짹~짹
창문 넘어로 굴포천의 새들이 아침을 연다
간만에 깊은 잠을 잤네
왠지 상쾌한 기분에 좋은 일이 있으려나
나를 깨어본다
지친 나를

장지

장지를 정하다
갈 곳을 정하면 오래 산데.
맨날 빨리 죽고싶다 더니
거짓말
아니야 정말이야
볼 거 못 볼 것 다 봤어
가야지 덕유산에 가려고
맹꽁이에게 말했어
안방재 연못에 뿌려 달라고
할배 옆에 갈까
아비 옆에 갈까 하다가
그냥 연못으로 갈래.

비가 오네

아침에도 멀쩡하더니
부시시 해라
넌 뭐냐 비런가 하면 안개이고
안개인가 하면 비가 오고
난 네가 좋아
네가 오면
내 눈물이 아니 보이잖아
그래서 좋아.

안방재 연못

안방재 연못은 크고 언제나 나를 비춰주는 동무들이 있어
해와 달도 먹구름 흰구름 초롱초롱한 저 별도
천둥이 번개도 벼락은 있어.
물 위에 비추어 외롭지 않아.
물 위를 잘도 걷는 소금쟁이도 있고
여름엔 반딧불이 밝혀주잖아.
산 너머에 외삼촌 외할배 산소가 있어.
난 그곳으로 갈래 갈래 갈테야.

맹꽁이 주막집

맹꽁이라 우울하다. 수양버들 늘어진 가지 위에 앉아 운다. 물이 뚝뚝 떨어지기에 비가 오나 하늘을 보니 꽁이가 울고 있네. 맹이가 유연을 남겼데. 죽지 않았잖아. 그럼 유서지. 맹꽁아. 몰라 모른다고. 그래서 운데. 두 맹꽁이가 나무 위에 올라서 있을 때 잘하라고 그랬잖아. 듬북이 말한다. 맛있는건 다 얻어 먹었다. 지지배배가 말한다. 그게 대수냐. 맹이를 못 보는게 큰일이지.

갈대숲

엎어진 갈대는 일어날 줄 모르고
그냥 날 세우나 점점 더 덮는다.
굴포천을 아예 엎어버렸넹.
이름 모를 잡풀들이 갈대를 엎어진 갈대를 짓밟고 나온다.
앞다투어
느림보 갈대는 세월을 잊었나 보다.
긴 잠에 잠보가.

맹꽁이 주막집

굴포천 사거리 맹꽁이 주막집에 김칫국 냄새가 나네.

듬북이 밥만 가져갈까 맹꽁이에게 묻는다. 그냥 오라고 밥도 있어.

맹이는 묵은지 항아리에 고기 덩어리를 많이 넣었네. 돼지고기징. 비계도 많이 붙었넹. 김칫독이 비워 갈 때쯤 국물이 아까워 고기를 재웠다가 가마솥에 살뜰물을 넣어 끓인다. 들기름에 살짝 볶은 고기와 김치는 연하고 부드럽고 맛있다. 땅에 묻어 두었던 감자는 통째로 넣었징. 대파는 썰지 않고 절구로 찧는다. 곱지 않게 감자도 한번씩 친다. 고기도 절구로 설적 삶아서 으깬다. 김치도 칼로 툭툭 쳐서 끓이면 맛있다. 칼집이 안들어가면 음식은 더 맛있다.

술은 술은 맹꽁이 말한다. 개똥쑥주를 만들었다. 여름에 청천리 바위틈에 개똥쑥을 케어 말려놨다 담았다. 찬 성분이 있어 수치에 좋고 설사를 할 수 있기에 칡을 같이 넣었징. 쌉쏘름한게 괜찮다. 먹자고, 먹으라고.

맹꽁

- 이 주막집

기운이 없어 자주 쉬어야 하는 맹이가 아침을 연다.

애기 갈대순이 연하다. 갈대순을 듬성듬성 잘라 갈대주를 담그고 부평리 장에 나가 호박잎을 사서 썰지 않고 절구에 지졋다. 호박 하나와 감자를 썰지 않고 툭툭 절구대로 쳐서 쪼개어 대파를 넣고 된장국을 끓였다. 멸치를 넣어 쌀뜬물을 받아서 넣었징. 너무 시원하고 맛있다. 갈대주도 시원한 맛을 내고 부드러운 상추겉절이도 일품이다. 들기름과 고추장 약간 집간장을 넣고 백초액을 살짝 넣었징. 풋마늘의 향이 좋다.

우리 맹꽁이는 두 그릇째다. 속은 있는대로 썪여도 먹일건 먹인다. 듬북은 국에 빠져 아예 코가 없다. 대장간 가족들과 이사 온 족제비도 맛있게 먹는다. 맹이는 먹는 모습만 봐도 좋다.

굴포천

- 옥희 생각

밤길에 구찌가 동무되어 걸어간다. 앞서거니 뒷서거니 오늘
은 신나는 음악을 들으며 걸어가다 무심코 그늘진 얼굴 하
나를 생각한다. 동생 옥희가 보고싶구나.

치악산 아래 돌담집에 해가 기울겠지. 외양간에 송아지는 어
미젓을 물고 아비의 혀끝으로 송아지는 커간다. 울타리를 벗
어나 뛰며 놀다가 애미 애비품에서 잠든 송아지. 옥희는 목
장에서 벗어나 깊은 잠을 잘까. 독한 동생은 못난 언니 생각
을 하여나 볼까. 한번쯤 기억이나 할까.

그땐 그랬징

꼬마양 복남아~쌍우야, 정복아~옥하야~철수야~
굴포천에 소나무 꽃이 피었더라. 아마도 덕유산을 옮겨놨나
봐. 풀들도 똑같아. 구찌뽕 꽃이 피었어. 덕유산에서는 다데
키 나무라 했어. 싸리꽃도 피려나봐. 나는 나는 싸리꽃이 그
리 이쁘다.
보라색 꽃이 자잔한게 넌 어떤 꽃이 예뻥?
해마다 요맘때면 찔레꽃 찔레대를 줄 훌고 먹으면 시원하며
텁텁하며 맛있지. 그치 그칭 어~ 여기에 찔레도 있넹. 신기
해라. 쁘득쁘득 통통해~ 한 주먹 꺾어 먹자 가시를 쭈욱 훑
어내고~
정말 오랜만이야. 난 덕유산인지 방재 개울아인지 모르겠어.
소나무에 물 올랐어 솔잎봐 보라고~
난 껌 씹는 것 같아. 지금 울 아버지 산소 옆은 소나무가 지
천이였징. 옥하네 밭 옆에도 복남이네 뽕나무 밭 옆에도 우
리들은 온 산을 누비네.

님 그리며

낙낙송 달빛 아래
외로이 핀 꽃은
홍련의 넋이련가
노오란 꽃잎 이슬 머금고
외기러기 슬피우는 이 밤에
바람소리 처량해라.
홀로 핀 연꽃은 누구를 기다리나
꽃잎 위에 꽃신 한 짝
장화의 넋이련가
달빛에 비친 님 그림자 처량하여라.

굴포천 주막집

맹꽁이 주막집은 웃음꽃이 핀다. 새로 이사온 족제비 꼬리가 구징 것과 같아서 놀랜다. 맹이가 구찌양 하면 마루 밑에 족제비가 꼬리만 내밀고 구찌는 물어댄다. 불쌍한 족제비를 예뻐하는게 질투가 났나보다. 오늘은 구찌뽕 꽃으로 술을 담그고 신금순을 뜯어 살짝 대쳐 들기름에 집간장을 넣어 무쳤다. 미끄덩 거리지만 몸에는 좋다. 쑥버무리를 하여 마루에 대나무 소쿠리에 담아 오가는 굴포천 식구들을 맛보게 하였다. 맛있다. 쑥내음이 좋네. 쑥털이다. 쌀가루를 버무려 소금물에 사카린을 조금 넣고 털털 털어 쪘다. 은주네도 갔다 줄까. 시간이 없네. 듬북아 두더지, 황새 모두 와서 먹어봐. 봄의 향기를 느껴봐. 먹으라고. 더 있어, 여기.

외다리 황새

굴포천은 날파리인지 하루살이인지 밤하늘을 수를 놓았다. 날씨가 따뜻해졌나.

오늘은 일찌감치 구찌와 외눈박이 외다리 황새를 찾느라 목이 터져라 굴포천이 시끄럽게 불러대다 다리가 아파서 왔다.

요놈들이 어디에 숨었나. 똑같은 숫컷들이 까불다가 독수리한테 잡혔나.

구찌가 말한다. 수컷인지 암컷인지 어찌 아냐고.

꼬리가 이쁘잖아. 깃털이. 그것도 몰라, 바보가.

고개를 갸웃거린다.

찾긴 찾아야 하는데 오늘은 두루미 배달부도 아니 보이고 순사인 까마귀도 안 보이네. 형사인 까치도 없잖아.

맹꽁이 주막집

맹꽁이가 말한다. 어제 담금주가 맛있어. 취했나. 맹이는 오른쪽 눈이 안 보인데. 맹이는 왼쪽 귀가 안 들린데. 목소리가 점점 커가고 음식에 머리카락도 나와.

듬북이 말한다. 이제 알았냐고 원래 그렇데. 피곤하여 토끼눈이다. 한잠 자면 괜찮고 몰랐데. 본인도. 바보 아니야. 바쁘게 살다 보니 모른데. 왜 눈을 치켜 뜨고 목소리가 커지나. 이제 알았데. 맹꽁아 그만 부려 먹으라.

요즘은 맹꽁이가 술도 담근다. 질경이주를 담았는데 괜찮다. 많이 먹으면 영양소가 다 빠지고 차더라 간 해독은 그만이지. 안주는 따뜻한 걸로 하자. 쇠고기 육개장은 봄철에 대파를 많이 넣어 토란대랑 숙주나물 넣어 시원하다. 맹꽁이는 빨간 코를 국에다 넣는다. 듬북도 수달도 많이 먹는다. 꽁이도 먹어야징. 많이 끓였어. 많이 와서 드시라구요.

영혼의 곡

고대광실 기와집도 여봐라 호령하던 툇마루도 죽고 나면 무
슨 소용
허~흠 허흠하며 기침 소리 산천초목 떨구어도 저승길에 가
는 귀가 먹더구나
후사 없는 매동 끝은
들짐승의 놀이터요
명산 대천 찾을 적에
너를 걱정하였건만
잘 살면 네 덕이요
못 살면 조상 탓이다

내 새끼

업고 보자 안고 보자
어화둥둥 내 새끼야
진자리는 내가 앉고
마른 자리 널 눕히니
너 먹는 거 마른 논에 물길이요
너 노는 거 기쁨이라
어화둥둥 내 새끼야
어화둥둥 내 자식아
눈에 넣어도 아프지 않을 내 새끼야
금을 준들 너를 사리
은을 준들 너를 사리
널 보는 것이 기쁨이요
날 본 듯이 반갑구나

굴포천

굴포천의 물은 수운이 오르고
검은 물고기는 가쁜 숨을 몰아 쉰다.
길을 가다 길을 가다 펄떡 펄떡 뛰는 통에 깜짝 놀랐잖아.
구찌가 깜짝 놀랐네.
제법 많이 모인 잉어가 물길을 가로지르고 제 구역을 지키
는 황새도 서서 존다.
곳곳이 비치는 가로등 불빛만 이 밤을 빛내고
눈꺼풀이 점점 무거워 발길을 재촉한다.
오늘은 대박이 엄마의 사연을 들으며 걷다 보니 어느덧 집
에 왔다.
구찌친구 대박이와 사랑이를 만나 이 이야기 저 이야기 나
누고
가는 뒷모습에 쓸쓸함을 느낀다.
살면서 나이만큼 행복도 줄어 가나보다
나는 지금이 가장 행복하다.
굴포천을 누빌 때가

인생

인생은 별거 아니다
시간이 흐르고 나도 따라 흐르고
잘난 사람도 못난 사람도 시간 앞에선 꼼짝 못한다
세월은 무시 못한다
세월은 감당 못하고 따라 가야 한다
안 가면 끌고 간다
군소리 말고 가자
운명이라 여기고
가자꾸나

반토막

생선도 반밖에 못 먹어
모든 게 반도 못해
숫자도 반도 못 외우고
사람도 반만 기억해.
어쩌냐 어쩌라고
눈도 반반 보여
귀도 반만 들리고
생각도 반만 생각해.
어쩌냐 어쩌라고
그게 나인걸
하나를 채우다 체한다
인생도 반만 살자
사랑도 반만하고
실망도 반만하자
그게 편하다
반쪽이

맹꽁이

쓰잘데기 없는 그 사람이 날 울리네
쌀쌀한 머스마가 날 울리네
말 없는 그 사내가 날 흔드넹
무심한 맹꽁이가 날 울리네
멍청한 바보가 날 부르네
소리 없이 속삭이네
날 오라고
맹꽁이가

맹꽁이 주막집

지지배배가 새벽잠을 깨우고 새벽 4시에 아침을 연다
까치의 인사도 여전하며 듬북이의 인사도 다정하다
너와 나의 하루를 열고 차가운 물에 머리를 감고
맹꽁이의 아침을 준비한다
따뜻한 보리차 한잔에 몸을 풀고 정성스런 아침을 먹고
두더지 대장간에 꽁이가 일을 간다
한약을 거뜬히 들여 마시고 출근길 배웅에 어깨를 다독여
준다
잘 다녀오라고
두 볼에 뽀~도 잊지 않는다
~신혼이잖아~
뺀질이 딸 맹꽁이 말한다
이 집은 맨날 신혼이양~
아무리 맹꽁이 미워도 출근길은 매일 다정하게 대한다
하루를 여는 아침은 누구든 좋은 기분 이여야 하기에
씩 웃는 인사는 오늘의 행복을 가져온다
짜증은 저녁에 내도 되기에
맹이의 하루

바보

구름이 놀렸겠지, 바보라고
바람이 놀렸겠지, 바보라고
한쪽 눈 한쪽 귀로 살아도 몰랐냐고
바빠서 몰랐데
천둥이 말한다
내가 천둥이 쳐도 몰라 못 들었나봐, 바보가
못 들은척 하는 줄 알았잖아
바보로 사는 게 좋데, 맹이는
그만 놀려라
그만하자 화내면 무서워 금방 풀리면서 굴포천을 뒤집을 수
있어

반쪽세상

내가 본 반쪽 세상은 어떠했냐고?
잘 보았징
그러니깐 허둥지둥 잘도 넘어졌징
아주 급하면 더 안보이고
화가 나면 더 안 들리고
병원에 간 적이 없으니 모르지 모른다고
약간은 왼쪽 귀가 안 들려도 속닥숙덕 대는걸 몰라서 좋아
못 볼 것 볼 것 다 보지 않아도 되잖아
오른쪽이 안보이니 밑에는 안 보이니 좋잖아

울 맹꽁

맹꽁이가 자색 당근이라나 한 박스 주문했다
누구 것이게 해서 몰라 택배가 잘못 왔나
자네 먹으란다
헐 왠일
비가 오니 날궂이하려나 갈대 숲에서 나오지 않더니
신장에 좋다더라
맹꽁이 주문했단다
내일은 해가 서쪽에서 뜨려나
3년전에 신장이 30%밖에 안 남았을 때도 눈 하나 깜박 안
더니
지금은 좋아졌는데 저러네
듬북이 말한다
마음이 변하면 죽는다고
시끄러 시끄럽다고
사람 노릇 좀 하려니 몰라주고
흥
맹꽁이가 사람이었나……

굴포천

맹이가 뛴다 뛴다 뒤여 비실비실 하다가도
나른다 날라 가죽순이라 딴 게 분나무 순이란다.
덕유산은 나물이 많기에 분나무는 먹지 않았다.
분나무는 꽃이 달기에 벌레가 잔뜩 들어가면 쪄서 말려 팔
았다. (비싸다나 약재이지)
울 할배가 그랬어
여기는 먹는다 살짝 데쳐서 초고추장에 들기름을 넣어 묻었
더니 엄나무순하고 똑같네.
더 맛있다. 반은 장아찌를 담그런다. 여름에 먹어야지.
굴포천엔 분나무가 지천이나 높아서 못 따고 밑에는 누가
먼저 따갔다.
나는 낫으로 당겨서 땄지렁. 혈압이나 혈관에 좋고 약재다.
몸을 따뜻하게 한단다.
맹꽁이 줘야지.

못난이

남은 다 가져도 왱 나만 그런거야
기형아인지 그런가 보다
약간은 모자란 게 좋아
못난 꽃이 예쁘잖앙
꽃잎 하나 없으면 귀여웡

서러워

서럽냐, 서럽냐고
슬프냐, 슬프냐고
아니, 아니라니까
반도 안되는 장기로 살아도 힘은 장사다 왱
반만 살란다
잘 살았잖아
그래도 잘도 버티잖아
멋지잖아

세상

거꾸로 어두운 그림자
사공은 길을 잃은 듯 하다
사공은 바다를 못 보고 길을 잃은 체 산으로 가고
산새들은 놀다 바다로 간다
둥지를 잊은 체 떠돌다가 바다에 빠지고 만다
엉뚱한 선장은 정신을 차렸을 때 이미 늦으리
하늘을 바다로 아는지 거꾸로 가지만
배는 기울고 텅 빈 배만 물 위에 떠 간다
저 바다 멀리

모르리

너도 모르리
나도 모르리
나라를 지키기 위해 목숨 바친 선조들의 눈물은 헛되여 가
고
젊은이는 앞날을 걱정 안 한다.
병원에는 노인들로 득실거리고
일터에는 바람만 부네.
한산한 거리에는 그림자만 따르고
덩그런 달빛만 처량하여라

저물어 가는 세상

굴포천에는 새들의 지저귐에 떠들썩 하다
새들은 늘어가고 산란에 갈대 숲은 커간다
차가 사람보다 더 많이 굴러가고
바퀴가 빠져도 주울 자가 없다
서 있는 사람보다 구르는 바퀴가 더 많다
어쩌면 좋아

노모의 근심
- 손주를 기다리며

감자 밭을 지키는 문지기는 잠도 없다.
북문을 닫았는지 잎을 달았는지 문을 닫혀 있고
길 잃은 삼신할매 망령이 났나 보다.
내 집을 지나쳐 김서방네 대문만 기웃거리네.

제비

며느님은 올해도 한 살 더 먹었나 모르겠다.
울 아들 이마에 주름이 늘었넹.
처마 끝에 새끼 제비 입은 벙긋 방긋 애비 제비 어깨가 덩
실 더덩실
온 집안에 퍼지는 짹~짹 소리
예뻥, 예뻥

외다리 황새

야, 찾았다.
청천천 다리 밑에 외다리 황새가 가냘픈 몰골로 서 있넹
그렇게 찾았건만 거의 몇 주인가 한달 가량 안 보였는뎅
어디 갔느냐 네 짝꿍 외눈박이는
말이 없다
졸고 있네
굴포천에 지지배배네 밭에서 모아 놓은 지렁이를 주지만 이
내 날아간다
왜 혼자냐고 짝꿍은 어쩌고
살아만 있어다오.

만남

언젠가는 볼 사람은 본다.
외눈박이도 볼 수 있겠지.
외다리도 보았잖아.
굴포천에 이곳 저곳을 다니며 노니우네.
울 구찌와 나처럼 외눈박이도 건강했으면 좋겠다.
약하디 약한 몸으로 어찌 지내는지
네가 보는 세상은 어떤지 궁금하여 여쭤보랬는데
외다리로 사는 너의 세상은 또 어떠했느냐
너와 나의 신세가 똑같구나.
구찡이 말한다.
말이 없잖아, 날아가버리잖아.

울 아비 생각

애꿎은 바람만 탓해보네.
먼지가 들어갔잖아, 내 눈에.
구찡이 말한다.
괜스레 울어 놓고 안 울었어 안 울었다고.
아빠 생각 했구나
그래, 며칠 있다 가련다 산소에.
고사리 떼도 뽑고 매똥도 밟고 막걸리 한잔 부어주련다.
가정의 달이잖아.
천둥이 말한다.
부모한테 받은 것도 없으면서
내 몸 받았잖아, 온전치 않은 이 몸을.

내 인생길

어디로 가야 하나, 구름 같은 내 인생
구름 따라 가야 하나, 떡잎 같은 내 인생
흐르는 물처럼 흘러가리.
어디로 가야 하나, 뜬구름 쫓던 내 인생
갈 길은 알지만 구름 뒤에 숨어 운다.
가고 싶지만 급한 것 같고
안 가려 하다가 끌려 간다.
애써 버텨 보지만 구름은 떠민다.
먼 길 가라고 바람에 실려 보낸다.

님의 생각

생각만 해도 가슴이 철렁
목소리만 들어도 가슴이 철렁
아마도 새가슴인가 보다
놀란 가슴에 새털 날리고 털복숭이 울런님은 내 맘 알라나
몰라

굴포천

검은 물결 넘실대도
굴포천은 청천천과 맞닥뜨리고 부딪쳐 만난다.
물과 기름, 기름과 물 뒤엉켜 흘러간다.
가지 각색의 사람은 저마다의 사연을 가지고
불빛 찬란한 다리를 건너고
가로등 불빛만 멀어져 가네.

알 수 없어

굴포천에는 데구르르 구르는 쇠똥벌레도 없고
동그란 물방개도 없지, 왱
덕유산 연못에는 있었는데
어린 시절에 놀아주던 물방개가 물 위를 누비던 소금쟁이가
보이지 않아
가을에 빠알간 고추잠자리도 이 곳에는 없어
없다고

반딧불

반딧불이 큰 눈을 감았다 떴다, 떴다 감았다.
내 앞을 날기도 하고 뒤에서 숨어 숨바꼭질 하잖다.
살금 살금 다가와 머리에 앉아도 보고
나무 위에 앉아 꽃을 이루네
고목에 핀 꽃은 예쁘지만 밤에만 핀다네.
반딧불은 낮에는 물 속에서 잔다네.
잠꾸러기양.

아침을 열고

산새 들새 잠든 고요한 밤에
찻길도 텅 빈 체 아침을 기다린다
어느덧 4월의 마지막 날에 서 있다.
유수와 같은 시간 속에 또 하루가 가고
봄은 가려니 여름은 오고
거리에 시원한 반팔이 날 반긴다.

일기장

추억의 일기장에 글자의 숫자만큼
흰머리가 늘어가고
밥그릇은 작아진다.
손목의 시계는 또 줄여야 하나.
자꾸만 줄어드는 허리춤은 앙살만 남기고
늘어가는 땀방울은 기력이 없구나.

베짱이

불러대던 콧노래도 옛이야기
울어대던 장구소리 아니 들리고
나무 위에 베짱이가 배짱을 부린다.
날 더워 일 못하고
졸려서 길 못 가고
그늘에 누워보니
못 일어 나겠다고
여름인가 보다.

발걸음

콩티덧 통통 뒤던 발자국 소리
굴포천을 울리던 발걸음 소리
축축 늘어진 능수버들 같구나
어깨가 잠자리 꽁꽁
살금살금 땅 꺼지려나
여름이 오면 기운이 없으리
나무늘보 되였네

굴포천 주막집

맹꽁이 주막집에 굴뚝에 연기가 피어 오르면 아침이다.

개천에 물안개가 힘이 없다.

황기주에 황기백숙을 하여본다.

여름에 최고의 음식이다.

마늘도 한 주먹 넣고 꽁이는 닭다리를 입에 물었다.

맹꽁이는 닭 목을 좋아해, 이상하지 징그러워.

황기는 땀을 식히고 식은 땀을 많이 흘리는 자에게 좋다.

울 할배가 황기주를 좋았는뎅.

나도 나도 듬북이가 말한다.

외다리

외다리 황새는 더 이상 굴포천을 못 온다.
동무가 생각나서, 외눈박이 생각에
둘이서 놀던 이 곳을 못 온다.
어젯밤도 청천천만 기웃대다가 날아가 버리고
말귀를 다 알아듣는 양 내 앞에서 재롱을 부린다.
날 보러 와야지
잊으라고
잊어버리라고
저도 못 잊으면서

이 꽁이 저 꽁이

맹꽁이들의 합창은 나의 삶이다.
그 꽁이 저 꽁이 내 꽁이가 없었다면 어찌 살았을고
반쪽 인생도 왼쪽, 오른쪽 나누어서 보는 세상도 의미가 없
었겠지.
너와 나의 세상에서 빛을 보다 본다.
느끼고 사랑을 하며 마음 속에 꽃이 핀다.
아련한 추억에 꽃이 한아름.

못난 꽁이 생각

구찌와 홀로 걷는 이 길이 편하고 좋다.
한번쯤 걸어봤을 울 꽁이의 길
이름 그대로 새침데기 길, 맹꽁이 길이다.
누가 뭐라 하는 자도 없고
욕심부리며 내 것만 챙기려는 자도 없고
날 떠밀어 시궁창에 빠트리는 자도 없다.
나만의 세상에서 기웃대다가 걸어간다.
정처 없이 가고 싶다.
그 누구를 찾아서
꽁이를 찾아서

비 오는 날에

비에 젖어 굴포천을 건너 일터로 간다.
물 위에 방울 방울 물방울을 바라 보며
초가집 처마 끝에 떨어지는 물방울을 툇마루에 앉아
방울을 세며 청승스레 앉아 놀던 시절이 생각나고
물방울이 크면 큰 비가 온단다
할매의 말에 두 눈이 커지네, 내 눈이.

올챙이

고물 고물 올챙이가 제법 널뛰기를 하고
울 구찌도 토끼처럼 뛰며 노네.
구징 넌 비가 그리 좋으냐?
번개다 번개.
철없는 나도 뛴다.
맹꽁이 울어댄다.
집에 오라고
넌 비가 오면 더 울잖아, 바보야.

송편

내 인생은 송편이다.

내 생각이 글로써 펼쳐지며 손 끝에서 송편을 빚어내어 빛을 낸다.

글을 쓰기 위해 볼펜을 사고 못 배웠던 공부를 하는 기분이다.

내 인생은 시궁창에서 벗어나지 못 했지만

나는 검은 잉어 되어 썩은 물에서 커 간다.

글이 되어.

생각

바보의 행진은 끝없다.

바보가 보는 세상과 천재의 세상은 틀릴 지도 몰라, 모른다
고.

거닐다 걷다가 굴포천에서 나무 위에 앉아 있는 새도 아픈
것 같고

물 속에서 펄쩍 뛰는 검은 잉어가 재빨리 안 나오면 겁나고

오리가 물가에 나와 졸면 아픈 것 같아라.

왜, 난 그런 것만 보일까, 바보.

나의 님

먼 곳에 있어도 내 곁에 머무네.
아주 먼 곳에 있어도 내 품에 잠들고
해가 뜨고 동이 트면 먼지 되어 잠시 흩어졌다 이슬 되어
앉았네
내 마음 속에

바보 꽁이

나의 몸은 썩어가도 모른다.

기절을 해서 온 몸이 마비가 와도 깨어나면 또 모른다.

왼쪽 귀가 안 들린 것도 몰랐고, 오른쪽 눈이 안 보이는 걸
몰랐다.

머리가 점점 빠져 이제 한 주먹도 안 된다.

이유를 모르겠다.

난 불덩이란다. 장기는 작고 생각하는 것과 일은 산더미이고
그냥 숨쉬는걸 감사한다. 바보.

반쪽 인생

반으로 사는 것도 사는 거지.
온 세상은 빛난다.
한쪽 눈과 한쪽 귀도 세상은 올바르고 내가 보는 세상은 아
름답다.
약간씩 귀를 갸우뚱 했을 뿐이고
오른쪽 눈 밑이 약간 어두웠을 뿐이다.

외로워

흙탕물에 썩은 물에 검은 잉어가 딱 맘에 든다.
어쩜 나를 본 듯 하고
배를 허옇게 내밀고 숨을 거둬도 죽어가도 보는 이 없고
물살에 흘러간다, 시체가.
동무가 떠내려 가도 물길에 오른다, 잉어가.
바보들의 행진이다.

나

불덩이를 안고 살고 달고 살지만
아직까지는 걸어간다. 숨도 쉬잖아.
나의 신장은 언제 멈출지 몰라도 성정은 하늘을 찌른다.
마지막의 발버둥일까.

너와 나

돌맹이로 맞은 잉어는 커간다.
놀림 받던 맹이도 아이가 되가고
매를 맞아 맘과 몸이 병든 맹이는 기울어 간다.
고목도 기우는데 뭐가 대수냐.
짓궂은 바람이 고목을 쓰러트려도
마지막에 꽃을 피우네.
고목에서 상황버섯을 내뿜네.
너와 내가

나의 끝은 어디에

나의 끝은 어딘가

비를 두려워하지 않고 맨몸으로 부딪친다.

삶을 두려워하지 않고 앞서간다.

가까이 있어도 뛴다.

뒤쳐지지 않기 위해 모래 위에도 탑을 쌓고

사막 위에도 집을 짓는다.

이뤄가는 세상이 재미있다. 성취감.

난 못할게 없다.

하늘도 해를 바꿀 수 있다.

자신 있다.

맹꽁이

맹이는 이리 속고 저리 속고 속아주는 거지 뭘.
맹꽁이들은 욕심쟁이이다.
돈만 쉬고 감춰 놓고 다 지꺼란다.
맹이는 운다.
가슴이 막혀 울고 서운해서 울고 분해서 울고
화가 나서 울고, 울보다, 멍청이.
항상 서운하고 분하고 그래서 외롭다. 울보가.

촌년

길가에 핀 꽃이 그리 예쁘냐
들꽃이 그리 이쁘냐고
빙긋 웃고 싱긋 웃고 깔깔거린다.
부끄러운 줄도 모르고 예쁘잖아.
귀여벙, 예뻥, 예뻥, 예뻥.
촌스러운 꽃들이 어찌나 예쁜지
꼬옥 촌년 닮았넹.
날 닮았네……

먼 길

구름이 흘러가는 곳
바람에 몸을 실어 따라가네.
구름 뒤에 숨을까
구름 위에 앉을까
구름이 저만치 가네
날 두고 가네
바람 되어 따르네
벗 되어 따르네
노을 되어 따르네.

고요

산기슭은 고요에 묻혀
물소리마저도 조용한 이 밤에
정막 강산 깊은 밤은 왜이리 긴지
슬피 우는 새소리마저도 처량하구나

구천동

구중천리 깊은 골에
옹기종기 모여 앉은 초가집 사이로
굴뚝에 내뿜는 연기는 산허리를 휘어 감고
물 깃는 아낙의 물동이가
바람에 출렁이네.

불효자

망령 난 할멈은
날 기다리며 해 지는 줄 모르고
불효자식 할멈을 모른다 하네
여기가 거긴가
거기가 여긴가
먼 눈은 길을 헤매고
냉정한 산짐승은 동굴로 안내하네.

보리타작

보리타작 할 때면은
땀에 젖은 삼베옷에
보리꽃이 키다리 삼촌 볼에 땀꽃이 피네

흙마당에 꽂인 보리알은
장마 통에 싹이 나니
길 잃은 산토끼
처마끝에 앉았네.

상대성

사람이 대하는 것 상대성이다.
가는 말이 고우면 곱고
가는 말이 거칠면 거칠징.
욕심 때문에 왈가불가 하지용.
인간의 욕심은 어디까지일까?
맹꽁이의 욕심은 어디까지일까요?

허무함

인생은 허무하다.
인가의 욕심은 어디까지인지 끝이 없다.
좋을 때는 혀끝은 달콤하고
등 돌리면 찬바람만 쌩쌩한게 인간이다.
동굴 속 박쥐는 동굴만 있음 돼징.
사람의 입은 하마이다.
삼키려 들면 못 삼킬게 없고
게우려 들면 못 게울게 없다.

맹꽁이 주막집

맹꽁이 나무 끝에 앉아 존다.
며칠째 술만 먹는다.
옆집 두더지가 같이 술 먹으려다 혼 줄 났다.
자다 먹고 먹고 자고 아예 술독을 베고 잔다.
맹이는 다 주고 떠나련다.
구찌와 살 곳을 찾아보지만 지하 밖에 없다.
맹이가 갈 곳이 없구나.
산 속에 갈까 구찌양.
속 모르는 구찡은 좋댄다.
철 없는 구징은 좋댄다.
얼른 밥 먹고 구찌 집 구하러 가보자.
왜이리 다리가 힘이 없냐.

천석꾼

고대광실 기와집도
마음이 불편하면 소용 없더라
기름진 음식의 떡 버러진 밥상은 상다리가 부서져도
마음이 불편하면 가시방석이요
고인 물은 냄새에 코를 찌르고
유유히 흐르는 맑은 물에
내 맘 씻었네.

근심

천석지기 만석지기도
고민은 있더라
돈이 귀하면 자손이 흥하고
돈이 많으면 자손이 귀하고
우리네 인생사도 다를 바 없더라;
요것 보면 가지고 싶고
저것 주면 더 달라하고
맹꽁이의 욕심은 끝이 없다.

꽃신 한 켤레

이슬비 내리는 이른 아침에
먼동이 트면 나무 밑에 꽃신 한 켤레
맹이 것인가
미끄러운 나무 위에 앉았네
수양가지 끝에 대롱대롱 매달려
널뛰기 하네
굴포천은 깊으니 뛰어내리지 말아라.
듬북이 난리다.
내려오라고.

고리티 도라지밭

고리티 도라지밭은 야속한 바레기만 무성하고
애기가 바위에 앉아 밭고랑만 샐 적에
멀리서 들려오는 부엉이 소리
날 저무누나
모랭이 문둥이
날 못 본 척 하네
한적한 이곳엔 미치광이도 산다더니
왜 날 못 본 척 하네.

시엄니

약나무는 약만 올리고
엄나무는 엄해서 무섭고
분나무는 분해서 운다.

봄에는 봄나물들이 줄지어 나오고
모랭이 담티고개에 고사리떼 만발하려니
울 엄니 머리에 한 짐 앉았네
보따리가.

엉뚱이

뚱단지 돼지감자가 돼지 감자인지 못났다고
엉뚱이가 놀려대고
대나무가 대기하며 호통친다.
먼동이 트는 이른 아침에
엉뚱한 생각에
놀려대는 바람이 부네
찬 바람이.

기다림

바다 없는 노 젖기란 힘이 든다.
배는 있고 바다는 없고
땅에 붙은 배는 일어날줄 모르고
바다가 저 멀리서 오기만 기다리네.
흙이 묻혀서 더 이상 무거워 일어날 줄 모르고
갑자기 파도가 밀려와 배는 떠간다.
저 멀리

사랑

힘들다고 느끼는 건 사랑하기 때문이다.
고단하다 느끼는 건 몸이 무겁기 때문이다.
어찌할지 모르는 건 망설임이다.
보기만 해도 설레임은 사랑 이여라.
생각만 해도 웃음이 나오는 건 믿음 이여라.
생각만 해도 눈물이 나는 건 애달픔 이여라.

기억

무서운 얼굴로 헤어져도 고운 시선을 남기고
앞다투어 되는 꽃도 순서가 있고
하루의 빛이 어디이던가
냉정히 돌아섰던 얼굴 뒤에
힘겨운 날들은 가슴에 묻은 체
웃는 얼굴만 기억하며
옛 추억에 웃음 짓네.

너와 나

좋으면 좋은 대로
슬프면 슬픈 대로
살다가 보면
옛 이야기 하며 살날 있겠지.
살다가 살다가 보면
그땐 그랬징 그랬었지, 왜 몰랐을까
할 날이 오겠징.
후회하지 말고 살자꾸나.
모두랑

용기

힘들면 소리 질러 봐라.
보고 싶으면 보고 살고
우리가 못 할 리 없다.
마음이 가는 곳에 기쁨도 있고
대가가 기다린다 해서 겁낼 것 없다
그깟 인생이 뭐가 대수냐.
한 번 죽으나
두 번 죽으나
무에 그리 대수냐.
살 날이 머지 않았다.
모두 다

님 생각

멍든 가슴 움켜쥐고 버둥거려도
너와 나는 잊지 못한 체
얼굴 돌려도 향긋한 입맞춤은 가슴에 남아있네.
싱그러운 바람이 코 끝을 때리고
버들잎 피는 곳에
내 마음도 피네.

소문

떠들썩 떠드는 천둥소리도
귀에 담지 않으면 그만 저만.
기찻길 요란해도 연기만 남더라.
노 마님의 깽매기 소리도 지나면 그만 저만
할배의 너털웃음 자고 나면 그냥 저냥
널 본 듯 반기는 휘파람은 지나면 그냥 저냥.

혼적

이도 저도 못한 체 앞만 발만 구르다
때는 늦으리
달려가 잡아 보지만 더 멀리 가고
무심한 바람에 저만치 가네.
뛰려고 하면 날고
날고 보면 사라지는 혼적은
안개 되어 흩어지는 물안개여라.

못난이

괜스레 눈물이 나네.
공연히 웃었더냐
누구를 생각 했는가
공연히 가슴에 남아있네.
못난이가 날 보고 웃잖아
비웃잖아
못났다고.

거짓말

구찌 친구 내 친구
내 친구 구찌 친구
울 구찌는 말도 잘해용, 말해봐
울 뭉치는 노래도 잘 하는데, 해봐, 불러보라고
멍멍 왕왕, 하잖아
말하잖아.
굴포천에 나온 개들과 주인들은 난리다.
거짓말은 계속 되고 그렇게 한 두 시간 어울려 놀다가
집으로 간다.
거짓말쟁이
"거짓말"

술 술 술 맹꽁이 주막집

맹이가 술이 취했다, 취했나

엉 자전거가 난다 날라.

아휴~신난다, 쾅~부딪쳤다.

가로수에

다행

왕 맹이는 술 못 먹어 듬북이 말한다.

아니야, 족제비가 말한다.

성질 나면 먹어

그냥 들이부어, 캔맥주 큰걸 두 개 10분만에 먹었데.

왕, 왜

굴포천 맹꽁이가 산곡천에 가서 안 온데. 집들이 갔다나 어

쨋다나.

에그. 맹이는 술 먹으면 죽어, 신장이 나쁘잖아.

술이 좋긴 좋다. 가방이 안보여, 아흐 신난다.

맹이는 또 먹어야지. 조금만 먹어라. 조금만

안돼, 안 된다고

가정의 날

어린이날, 어버이날
없음 좋겠다 그딴거
생각하면 딸가닥걸린다
에라 모르겠다
요 꽁이 저 꽁이 이 꽁이 저 꽁이
주고 싶어도 줄 수 없고
보고 싶어도 못 보는
"손주들"
멀리 있잖아 꽁이가 말한다
한참 돈 쓸 나이인데
너나 챙겨라 듬북이 성질났다.
저는 왜 안 보이냐고
보여 보인다니까
~보인다고~

맹이 고집통

한바탕 폭풍우가 지나가고
잔잔한 물결 위에
시선은 머문다
고집쟁이 꼴통 하고자 하는 건
"꼭" 하고야마는 꼴통
남 생각 따윈 상관 없는 멍청이
술은 왜 먹냐고 쌤통
소심해서 뭘 하려면 왜 떠냐고
아둔한 건지 멍청한 건지
하나만 알고 둘은 몰라
모른다고 바보야
맹꽁아 바보 멍충아 맹순아~

외다리 황새

이제 내가 나타나면 온다, 황새가
살금살금 좀 더 가까이 조금만 더 더
횡하니 날아가 버리고 만다.
너를 보러 청천천까지 온 보람이 있넹.
어쩌다 발 하나가 잘리고
안쓰럽기까지 하냐
아직 찾지 못한 외눈박이
왜소한 차림새가
눈에 확 띌텐데, 굴포천을 헤매본다
못 봤어요 못 봤냐구요.

봄은 가고

보리알 익어가고
들녘은 푸르다
여름은 문턱에 와있고
봄은 익어간다
이 봄이 설레임 반 기다림 반으로
이어가던 이 봄이
저만치 가려 하고
꽁이의 날굿이는 이어간다
이제 맹이도 술꾼이 되어간다

꽁이네 주막집

경로당에서 노래자랑을 한단다.
굴포천은 날마다 시끄럽고
요즘은 막걸리가 잘 익는 날씨다.
맹이네 텃밭에 파꽃을 따서
파주를 만들어보고
기름에 파꽃을 튀겼다.
꽃처럼 하이얀 솜처럼 예쁘다.
경로당에 가니 동네 엄니를 보러 간다.
예쁘게 하고 손에는 먹을 것을 들고
반기는 엄니들이 흥겹다.
맹이는 흥도 많고 노래도 잘한다.
"노래"한 곡조 뽑고 한 시간 춤을 추고 놀았다.
다리가 후들거리네 늙었나 보다.
나도 조금 있으면 경로당에 입적하겠지.
그땐 그때고
입가에 미소와 집에 오는 길에 흥얼거려본다.

엉뚱이 돈

내 지갑에 엉뚱이가 숨어있다.
나는 나도 나도 엉뚱이다.
뚱딴지이기도 하지.
엉뚱이가 있어서 좋다.
엉뚱이가 없었으면 어찌 살까나
기분 푸는데도 좋고
든든하고 하고 싶은건 다 한다
고민도 하게 되고
모을까 쓸까 먹을까 줄까
탑이 쌓여가지만 허물지 못한다.
나만의 세상에서 궁리를 해본다.
어찌할까나.
"요" 엉뚱이를

사랑

구름 걷힌 하늘은 고요하니
흰구름만 유유히
굴포천 아래 위를 비추며 흘러간다.
아지랑이 같은 나의 사랑도
유유히 흐르고
나의 봄은 가고
뜨거운 열정의 여름이 오려니
불타는 사랑도 오려나
내 맘속에

맹꽁이

맹이가 미쳐간다.
맹꽁아 이리와 이리오라고
술 먹자니까
맹꽁이 도망간다
아니 맨날 천날 술만 먹어서
맹이가 열받고 숨어 우는 바람소리 되어 살잖아
이리 오라고 너 죽고 나 죽자
3일 밤낮을 술을 먹고 또 먹자니까 나하고
성질이 났다
못 말린다
굴포천을 불 사른단다.
굴포천 식구들이 벌벌 떤다.
화내지 말랬는데 맹꽁이가
맹이를 잡으려 하다가 잡힌다 잡혀
맹꽁이 납작 엎드렸다.
왠일, 내가 두 손 두발 다 떤다.
항복, 야, 미쳤나

안 하던 짓도 한다.

용서하자

맹꽁이 맹꽁이 변해간다.

모르지

구산리

- 덕유산에서 1

구산이 출렁다리 녹슬었건만
포개 놓은 닥나무가 가지런하고
손잡이 쇠는 녹이 쓸었넹
할멈을 닮았나 굽은 허리는
수십 년의 세월을 견디지 못한 체
벌거벗고 미역 감던 꼬맹이들을 잊지 못하고
벌벌 떨며 건너던 옥남을 잊지 못한 체
누굴 기다리나 인적 없는 다리는

수숭대
- 덕유산에서 2

은빛 물결 흩어지는
수숭대 다리 아래
별빛 되어 반짝이는 반딧불 사이로
물방개가 날아드네
출렁이는 출렁다리에 이 몸 싣고
견우와 직녀도 구름 타고 왔으리
1년은 길지만 짧지도 않다네
오늘밤 너와 나의 만남은
잊지 못하리
수숭대에서

님

님이 오려나 봐요.
나의 사랑이 오려나 봅니다.
저만치 먹구름 따라 가버렸던
내 님이 오시려나 봅니다.
내 사랑이 오고 있어요.
잔뜩 설레어 봅니다.

내 사랑

사랑이 왔어요.
왔다구요.
왔다니까요.
허둥지둥 나가 보지만 없는데 없다구요.
잊어버렸던 맹꽁이 왔다니까요.

비

노을이 숨었네.
구름 뒤에 숨었네.
비가 오려나 봐요.
오고 있어요.
한 방울 두 방울 온다니까요.
맹꽁이 이마에 살포시 앉았네.
빗방울이

장마

노을이 짧아요.
길어진 해가 약 올리고
먼 산은 아지랑이를 삼켜요.
여름이 오려나 봐요.
왔어요, 왔다구요.
벌써 왔잖아요.
장마가 오려나 봐요.
길가에 지렁이가 마중 나와요.

천둥아 노올자

천둥아 오랜만이네.
왜 안 왔어, 보고 싶었잖아.
언제는 오지 말랬잖아, 보기 싫다고.
무섭다 해놓고.
부끄러움도 많이 타지만
천둥도 무섭다며
벼락은 같이 오지마
~오지 말라고~

천둥번개

천둥은 놀자 하고
벼락은 싫다 하고
내 친구 네 친구
맞아 맞냐구요
이불 덮고 엉엉 울던 내가 아니야
아니라고
옷에 오줌 지리던 꼬마가
아니라니까

박쥐

나제통문 다리를 건너지 못하고
박쥐다
거꾸로 매달린 검은 박쥐는
거창에 가는 버스를 탈까
함양에 가는 짐 차를 탈까 고민하는데
기니미 외삼촌 바지개에 몸을 실었네.
박쥐가

나제통문에서

장마 통에 은빛 폭포는 다리를 삼켜도
은빛고기 날 살려라
다리를 넘네
부서지는 폭포 아래
빛나는 보석은
달빛에 쪼개지네
부서져 가네

덕유산 가는 길

아름드리 가로수가 날 반기네
양쪽 어깨에 나를 안아서 들어 올리고
내 동생 영철이 친구 집에 내려 놓으니
영혼의 숨결이
"느껴지네"

동생 영철 생각

계곡 물결 춤추는 바위에 앉아
살자니 고생이고 죽자니 청춘이라
여덟 살 영철이 정성스레 부르던 노래를
난 왜 기억할까
아까운 내 동생은
달빛 속에 숨기고
별들의 속삭임에
고향집 가는 길이
멀기만 하네

네 탓 내 탓

길가에 지렁이가 비 마중 나오면 가문 다던데
요즘은 지렁이가 아예 길가에 구르다 죽어간다.
땅 속 깊은 곳도 메말라 가고
이 날은 어쩌려고 그러는 건지
사람의 인심도 메말라 가고
조그만 일에
조그만 말에도
성정을 낸다.

애비

뒷동산에 쉬다가 잠이 든 애비가 인기척에 깨어보니
꿈에 그리던 큰 딸이 집 앞에 와 있네.
투정도 모르고 설움도 잊은 체 매똥에 기대어우누나.
산새는 메아리를 깨우고
아버지의 부름에 메아리 되어
퍼지네
~저 멀리~

아비 생각

지푸라기라도 잡고 싶은 심정은
빈 수레를 몰고픈 마음에
빈 그네를 날개를 달아 애비를 태우고
마지막 인사조차도 못 나눈 아쉬움을 담아 바람결에 날려보
네
무심한 바람은 너무 멀리 날려 흩어져 가네.
~저멀리~

엄마

지평선 넘어로 가버린 엄마는
언제나 불러보고 불러보아도 보고싶은 그 이름
소리쳐 불러보는 그대 이름은
덕유산은 말이 없네.
지평선도 따라 우네.
대답이 없네.
말이 없네.
지평선이

맹꽁이

나제통문 앞에 재공에 사는 엄마 동무네 집 앞에 서 있다.
인기척을 하지 못하고 듣고 싶은 엄마 얘기를 궁금해하고
뒤돌아선 발걸음이 떨어지지 않는다.
마중 나온 아랫집 큰 아버지가 거긴 뭐 하러 기웃거리냐
깨벅쟁이 엄마 동무를 아니 아니 엄마가 보고팠나 보다
"못난이 바보"

가뭄

구중천리 깊은 골에 눈이 녹고 하이얀 계곡을 덮었던 얼음
덩어리가 사라졌네.
온 세상은 펄펄 끓는다. 내 속처럼
이러다 탈날지 싶다.
이슬만 먹고 크기엔 모자란 수분은
치고 오르지 못하는 물은 몇 자가 말라있나
궁금하지렁

할매

산골짜기 다람쥐 아기 다람쥐눈은 잠기고 할매의 얘기는 귓전에 맴돌다 구수한 이야기 속에는 동화책은 저리 가라다. 옛날 옛적에 해 가며 들려주던 이야기 보따리는 무섭기도 하고 재미있기도 하고 듣고 보면 별거 아니다. 호랑이 이야기가 오금을 저리고 귀신 귀신 이야기가 소름이 돋고 문둥이 이야기가 무섭고 엄마 이야기가 듣고 싶지만 말 못 한다. "어땠어? 내 엄마는?" "독하지 매몰차지." 다. 더 이상 말을 못하고 "자자니까." 숨어있던 저 달이 말한다.

물레방아

- 그땐 그랬징

봉건이 오빠네 집엔 계곡에서 흘러 내리는 물을 긴~나무에 홈을 파서 나무를 이어 이어 물길을 만들어 뒤안에 물이 함 지박에 졸졸 흘렀지. 그 광경이 재밌어서 요리보고 조리봐도 조상의 지혜가 엿보였네. 그 옛날에 꼬마네 방앗간은 부지런 한 주인이 분주하고 꼬마와 난 밥 심부름에 오가는 길에 물 레방아 물이 옷에 흠뻑 젖었지. 그렇게 물이 흔했지. 몇 년 인가 불에 탄 물레방아는 옛터만 남긴 체 사라져 버리고 옛 추억만 남았네.

고향

생각하면 할수록 옛추억이 주마등처럼 스쳐가고
수승대 폭포는 여전히 깊고 푸르르건만
새 신을 신고 뛰어보자 폴짝 하며 노래 부르면
온 산에 메아리가 웃어 주던 곳
동무들은 사라지고 산새가 반기네
날 반기네.

고향의 봄

눈 감으면 떠오르는 고향의 봄
내 마음은 출렁 출렁
가슴 속에 봄
꿈 속에 그려보는 오늘의 봄은
언제나 계곡에 머무네
가슴 속에 봄이

시엄니

밭당골 취나물은 터벅터벅 짚신을 신었나

매똥 옆에 고사리가 뿌득지고 머리에 하이얀 수건이 잘 어
울렸던 시 엄니가

눈길 한번 주지 못한 체 머물던 삼밭 옆에 삼장집은 지붕이
뜯긴 체 벽돌만 남았네

심술궂은 얼굴로 바라보던 모습은 간데 없건만

엄니하며 부르며 달려가던 나를 잊었나 보다.

모랭이

모랭이 꼭대기에 둥굴레 꽃은 만발하고
비스듬히 누워 있던 고비 밭은 누워 잠자네.
소고비 참고비가 나를 반기고
삼십년의 세월은 산천초목을 바꿔놨나
여기가 거긴가
도통 모르겠네.

치리골

치리골 가는 길에 학교담에서 울려 퍼지는 아이들의 함성은
나를 설레가 하던 곳
빈 학교가 눈에 들어오고
치리골 낙엽송은 사라졌지만
한 송이 난초꽃이 나를 반기네
삽초가 다소곳이 날 반기네.

장날

안천면 가는 길을 멀기만 하고
십여리 길은 먼지만 날린다.
흙바닥에 스레빠는 질질 끌어 맨발인지 감각은 없고
배가고파 더 힘든가 보다.
장날에 고사리를 머리에 이고 흥정을 해본다.
장꾼은 보따리를 뺏지만 흥정은 오가고
집에 오는 길에 검정 고무신은 울 아들이 반기네.

굴포천

굴포천에 구찌 친구들이 마중 나왔넹.

내 친구 너 친구 노을이, 토토, 뭉치, 튼튼이, 검둥이, 깜상, 보리보리, 가을이, 겨울이, 여름이, 보름이, 봄이, 시금자, 장군이, 남진이, 미남이, 바니, 히루, 킹, 대박이, 행복이, 깜순이 후~많다 많아. 더 있어 더 있다고 구찡이 말한다.

수많은 개들과 인사를 하며 논다. 논다고.

스승산

치리골 넘어로 스승산에 앉아
바람에 땀을 식히며
상대곡 저수지가 맑고 컸었지.
이 골짜기에 저토록 아름다운 곳이 있었나 싶었지.
스승산은 점잖하게 앉아 있네.
명산이다.
어른들 말씀이 스승이 많이 나온단다.
과연 명산답고 계곡이 좋았고 그 사이로 작은 개울이 이어
져
약초 캐던 나의 터전이기도 했었지.

비 오는 날에

보슬보슬 단비가 잔잔하게 오네, 온다니까.
꽤나 오기 싫은가 보다.
거봐라 천둥이 번개는 안 왔잖아.
보리밭에 맹꽁이 걱정되어 안 오나 보다.
보리밭이 누울까봐, 못 온다니까.

맹꽁이

비 오면 맹꽁이 울어대더니 조용하다, 우째
모르겠다.
갈대 숲은 바람 한 점 없이 조용하네
맹꽁이는 하루 종일 잔다, 잔다고
맹이도 장사를 접고 잔다, 잔다고.
고단했나 보다.

맹꽁이 주막집

비 오는 날에 김치전을 부쳤다.
김장 김치전을 들기름에 구워 맛있지.
술은 술은 붓나무주다.
가죽도 아닌 것이 가죽 같고 옻나무도 아닌 것이 옻나무를
닮았다.
제법 먹을 만 하기에 나는 먹는다.
맹이는 못 먹는 게 없지.
빨리 달라고 맹꽁이 난리다.
맹이도 한잔 하잔다.
술 끊었어, 절대 안 먹어.
두고 보자, 안 먹는지.

초원

풀피리 꺾어 불던 머스마가
들판 위 풀밭에 뒹굴고
푸르른 들녘은 햇볕 따순데
배부른 소떼가 외양간을 넘네
재 넘어 노을이 이만치 와있네.

꽁이네 주막집

맹이가 어두운 얼굴로 아침을 맞는다.

왱, 아닌데. 맨날 천 날 속 없이 웃잖아.

대나무 잎을 따서 술을 담구어 보았다.

어때, 시원하면서 괜찮네.

벌써 맹꽁이는 맛을 봤다. 맛있단다.

술을 좋아하니 맛나지..

안주는 안주는 번데기탕이다.

맛있어, 맛있다니까. 맹이가 아예 한 말을 사왔어. 듬북이 말

한다.

멸치 넣고 대파도 쫄였지.

오늘은 굴포천에 새로운 족제비 배달부가 생겼

다. 두루미는 어쩌고?

다른 곳으로 갔데. 족제비가 말한다. 그래서 이사를 왔잖아.

날지도 못하면서 배달은 어찌하냐? 수달이 말한다.

걱정 마. 나르다 땅속을 뒤집고 다닌다. 잘할 것 같다. 꽁양

꽁양.

나의 님

벙글 벙글 벙글
눈길 고운님
싱글 싱글 싱글
입담 좋은님
방긋 방긋 방긋
손길 따순님
아마도 꿈결에 님이 오려나 봅니다.
내 님이.

님

생글 생글 생글 웃는 모습은
천진난만한 아이 같아라.
쌩긋 웃고 씽긋 웃고 웃다가 하루 해 가네.
맹꽁이의 사랑이 오려나 봐요.
왔다구요.
왔다니까요.

그땐 그랬징

복남아, 점남아, 천수야, 정복아, 옥화아, 옥희양, 필수야, 우철아, 금숙아, 쌍우양, 꼬마양~

와, 비온다. 우산이 없던 시절에 비료 푸대 비료포댄지 쭈욱 잘라서 뒤집어 쓰고

둘이 끌어 안고 있으면 큰 비가 와도 끄덕 없었징.

옛날에 왜그리 비가 많이 왔나 몰라, 그치, 그치, 그래, 그래, 그랬었징.

고무신은 빗물에 미끄러워 궁댕 엉덩방아를 쪄도

신에 자갈이 들어가 꾹꾹 찔러도 왜그리 좋았나 몰라.

그렇게 비가 억수 같이 쏟아져서 누운 보리에 싹이 났잖아.

비료 포대는 눈 오면 눈썰매가 되고

비오면 우산이 되어 주었징.

울 집에 비료 포대가 있당, 볼래, 볼래.

징검다리

굴포천에도 비는 내리고
물 위에 방울방울 물꽃이 떠간다.
징검다리를 하나 둘 새며 출근길에 노래가 나오고
인적 없는 이 곳에
우산도 없이 걸어본다.

비

보슬비가 보슬보슬 내리네.
내 볼에 앉았네.
두 볼을 적시네.
눈을 감고 걸어도
눈을 뜨고 걸어도
이 비가 날 따라오네.
저리 가라니까, 가라고.

당골네 메뚜기잡이

밭당골 가을 논둑에
고래실 논은 깊고 깊어라
날쌘 메뚜기 날개는 비행기보다 빠르고
내 발은 낙하산이네
진흙은 왜 그리 무거운지
천근 만근 내 발목 잡네.

용서

- 편지

고집쟁이 외골수 용서를 고합니다.

누구에게, 당골에 사시던 사돈 어른에게

벼가 누렇게 익은 논은 생쥐가 집을 짓고 참새가 알을 낳았 넹, 메뚜기 떼 득실거리는 가을 들녘에 이십살 애기 어멈이 메뚜기 잡느라 날 새는 줄 모르고 고운 발에 거머리는 떨어 질 줄 모른다. 메뚜기 자루를 채워야 집에 가기에 오늘도 아 침 해가 야속하구나.

이슬에 떨고 있는 메뚜기는 보는 족족 잡아대도 벼 이삭에 고개를 쏙쏙 내밀면 내 손은 덥석 덥석 갈코리 되고 밤새 논은 벼를 삼켰다. 납작 엎드린 밟은 벼는 사돈 어르신 근심 이요.

날 보고 못 본 척 등을 돌린 사돈 어르신이 미안하여 논둑 에 엎드려 숨 죽일 때 슬그머니 파르르 떠는 잎새를 못 본 척 하고 가시던 모습이 아련히 남아있네. 나락을 베면서 속 으로 얼마나 욕 했을고. 지금 생각하면 왜 그리 미안하고 송 구할지.

작은 엄마 친정 아버지인 사돈 어르신에게 고마운 마음을 담아 이 글을 올립니다.

내 배가 고파 남의 논을 작신 밟아 놓고 미안하단 말을 하지 못한 체

늙어버리고 가을이면 밤이슬 아침이슬에 젖은 내 모습이 애처로워

못 본체 하던 사돈댁을 잊지 못하네.

지금은 풀피리 나무가 무성하여 묵은 논을 더는 못 보겠네.

제가 살게요.

또 다른 세계

내가 본 세상은 다르다 못해
바다 건너 외국에 시집 온 것 같으네
낯설고 물 설은 타향 객지에 의지할 곳 없어
산과 들을 누비며 살다가 살다가
이곳에서도 부모 없는 설움은 이어지고
시엄마의 험담은 입에 담지 못한 체 세월은 흘러간다.
애미 애비가 버렸다지, 본디 없는 집구석.

또 다른 세계

- 시집살이

내가 못났기에 못난 집을 골라 시집을 왔건만
이곳에서도 내가 기댈 곳은 없구나.
동서들이 모인 곳도 여전하고
왜 사람들은 나를 보지 않고 나의 부모를 보는 걸까?
한평생 겪으며 살아온 세월 속에
나의 삶은 빛나리.
인생은 역전이라.
하늘은 불쌍한 자를 돕는다.
나는 큰 과일 나무다.
과일 나무 밑에 쉬어 가는 자도
배고프면 과일 몇 개 떨어트려주고
이가 성치 않은 자는 익은 과일을 내려주리.
끝없이 과일은 익어가고
목마른 자도 배고픈 자도 모두 오라고, 오라니까.

용서

세월은 약이다.

옛말에 세월이 약이란다.

그땐 몰랐징.

세월이 흐르면 분노도 사랑도 원망도 사라진다.

피기 있을 때 말이지

너도 늙어봐라, 할매가 말한다.

난 늙지 않을 줄 알았다.

교만 떨던 자들의 미래가 걱정이다.

나한테 하는 얘긴가

용서가 나를 키운다.

왠수

사람은 언젠가 헤어져도
어디선가 만난다
아니 아니 못 만나는데
어쩌다 한번쯤 봤으면 했건만 못 봤다고
재 넘어 살아도 못 봤는데
본다고 본다니까
기다려 기다리라고
봤잖아
못 본다던 맹꽁은 그랬나, 그랬구나.
그건 맹꽁이잖아.

사랑

사랑이 오려나 봐요
무지개 넘어 숨어 있던 내 사랑이 오려나 봅니다.
봄바람 타고 온다더니
늦바람 끝바람 타고 오려나 봐요
문 앞에 왔어요
여름이 왔나봐요.

굴포천

보시시 눈을 뜨면
바람에 나붓기는 나뭇잎 사이로
새들의 속삭임이 분주한 아침에
푸르른 갈대 숲이 날 오라 손짓하네
이리오라고.

맹꽁이 집

불현듯 달려가
갈대 숲에 안겨 보지만
오래 있진 못하네
이슬에 젖어
맹꽁은 갈대 숲을 누비며 놀지만
무심한 날파리가
날 가라 하네.

아배

오메 오메 아배 아배 울 아배
어화둥둥 내 새끼야
꽃 본 듯이 널 반기리
무심한 세월은 꿈결 같이 흘러
철 없이 강산이 바뀌고
매똥 위에 놀던 까치
날 저무니 날아가고
객지간 내 새끼는 꽃밭에 뒹굴어도
행여 애비 생각 하여나 볼까.

아비

가자 가자 바삐 가자
등에 업자 안고 보자
이슬 젖을라
꽃신 적실라
너의 마음 나의 마음
내 눈 속에 네가 있고
나의 눈 속에 내 새끼 머무네.

아비에게 바치는 수심곡

자고 보니 저승이라
놀고 보니 이승인지
깨어보니 꿈이런가
꿈속에 달려간 애비 집은
쑥대밭이 왠말이요
장마통에 맹꽁이가 매똥 안에 집을 지어
텃세가 대단하이
부질 없어 울어대고
철 없어 통곡하네.

울 아버지

- 수심곡

울 아배 날 날 적에 고이 고이 키우련만 헌신짝 버리듯
널 버릴 적에 피눈물을 삼켰다오.
업고 보자 안고 보자
어화둥둥 내 새끼야
부질 없어 후회하고
어이 없어 널 못 보고
때 늦은 후회는
바람이 삼키었네.

용서

- 아비에게 바치는 노래

원망일랑 접은 지 오오래요
설움도 삼킨 지 오오오래이다.
나의 덕이 없어 왼부모 만난 것이 어찌 부모 탓이요.
원망도 미움도 없소이다.
내 못난 건지 불쌍하신 울 부모가 그리웠을 뿐이요.
그리 살고 싶어 살았겠소
살라 하니 살았지요.
무거운 맘 접어두고
구름 타고 꽃길 가소.

사공

- 아비를 그리며

해 저문 바닷가에 노 젖는 뱃사공은
어디네 가시온지
달빛 안고 가더이다.
용두산은 멀다 마는
지척엔 없고
돌산은 가로 막혀 못 체 하네.

아비 생각

가도 가도 끝없는 바다는
석양만 반기는데
저 멀리 노을이
그림자 부르건만
야속한 먹구름은
구름 덮이고
무심한 갈매기는
남쪽으로 날아가네.

우리 몰골

노송은 죽지 않는다.
천 년을 자랑하다 백 년을 산다네
나이를 먹어도 커가고
비 바람이 때려도 야물어가고
여물은 잇세에 돌 하나 끼였나.

노송

가뭄에 노송은 시들어도
딱따구리가 옆구리를 긁어 주면
시원하단다
가죽은 거북이 옷을 입어도
덥지 않고
세치가 늘어도 가렵지 않네.

깨금

- 그땐 그랬지

와~깨금 나무다.

봤지, 봤지, 나지막히 앉아 있는 깨금이 익어 가네요.

보리가 익어가면 깨금이 여물어 가는 들녘에

저어세 노 저으며 강으로 가고

지는 해도 노을 되어 흘러가는데

나도 따라 가보세

저만치

동이 트면

아침 이슬 머금은 풀잎은
고개를 떨구고
들녘에 모내기는 한창인데
뒷집의 머슴은 단잠을 이루고
해는 중천에 떴으이
소 모는 저 목동
거동 좀 보소.

장마

희멀그리 감자 꽃이
노오란 혀를 내밀적에
농부의 땀방울은 쉴 줄 모르고
옥수수 수염이 바람에 날리니
고개 숙인 밀 보리 밭은
장마질라 두렵네.

할매

까치는 정막까치
제비는 초록제비
동이 트는 이른 아침에
할매가 부르는 이 노래는 복을 부른다.
제비 몰려 나간다.
일터로 나간다.
돈 들어 온다.
돈이 들어 온다.
초록 제비가 돈을 몰고 온다.
박씨 물고 최씨 몰고 온다.
엽전 몰고 온다.

꿈꾸는 굴포천

굴포천은 꿈꾼다.
물이 흐르다 고이면 꿈을 꾼단다.
별님이 아니 보일 때는 잠을 잔단다.
깨어 보면 맑은 물로 변하여
달도 보이고 별도 보이지.
썩은 물 위에는 맑은 물이 흐르지.
진흙탕을 베고 꿈을 꾼단다.
물 물 물이.

잠자는 굴포천

물이 잠을 잔단다.
달님께 말하지만 말이 없다.
별에게 말하지만 대꾸를 하지 않은 체
반짝이지, 말도 안돼, 계속 흐르잖아.
잠은 무슨 잠.
맹꽁이는 거짓말쟁이다.
자잖아. 조용히 흐를 땐 잔다고, 잔다니까.

거북

청거북이 청색 옷을 입고 걸어온다.
지렁이라도 봤나.
맹꽁은 근심이다.
느릿느릿 고개를 쑤욱 빼고 오면
맹이가 예뻐라, 목 좀 봐, 키도 커, 멋지다.
맹꽁은 작잖아, 어머나. 목을 쏙 넣었어.
청거북이 나타났다.
맹꽁이가 발로 찼다, 청거북을.
거북하게시리.

갈대 숲

갈대 숲은 제법 제 잘났다.
푸르르다.
맹꽁이 가족은 숨바꼭질 하느라 굴포천이 시끄럽다.
듬북은 날아서 어디 숨었나 다 안다.
맹이는 갈대밭에서 나오지 않고
고개만 내민다.
고개만.

꾸러기

잠꾸러기, 장난꾸러기, 겁쟁이, 맹꽁이, 고집쟁이.
굴포천은 꾸러기다.
일어나 일어나보라고.
깨워도 쿨 잠만 잔다.
물 밑에 진흙이 잉어가 숨을 못 쉰다.
겁쟁이 덮었잖아.
잉어를 오물은 부글거리며 화를 내고 고집만 피우는 진흙이
얄밉다.
맹꽁이 더럽다고 난리다.
냄새난다고

썩어가는 굴포천

언제는 깨끗하다며.

예전에는 미역도 감고 빨래도 하던 곳.

나물이랑 온갖 것을 씻어 먹던 곳이다.

부대가 생기고 대우자동차에서 나오는 기름과 우물 공장 곳곳에서 나오는 오물, 우리들이 흘러 보내는 오물 하수구는 터질 듯 하고 계곡의 약수들은 시멘트로 막아 버리고 이제는 원적산 곳곳에 흐르는 약수가 몇 개 안 된다.

산곡동, 청천동은 아예 막아 버렸다. 약수터가 사라졌지.

나도 몰라, 왜, 왜 몰라.

희망

푸르던 잎은 꽃을 피우고
꽃이 지니 열매를 머금네
살구가 익어가고 울 딸 두 볼에 분홍빛이 피려나
메마른 대지 위에도 커가는 가로수 아래
할매들의 잔소리에 매미는 울어대고 개미는 커간다.

들꽃

떠들썩한 굴포천에
이름 모를 꽃들이
서로 피겠다고 시끄럽고
니가 예쁘냐
내가 예쁘냐
악을 올리지만
너도 이쁘고
나도 이쁘다.

아아니 보이네

- 서양꽃

여봐라, 이 꽃은 왜이리 예쁜가

뭐더라, 저 꽃도 뭐 그리 예쁜가.

아침 이슬 머금고 폈잖아.

날 보라고

보라 빛 넝쿨은 뭐더라.

처음 보는 덥수룩한 이 꽃은 뭔가

클로버에 앉은 주먹만한 이 꽃은 뭐지.

몰라, 모른다고

못 보던 게 있네.

굴포천

개구리 합창에 모기 날파리 춤 솜씨는 여전하고
키 자랑에 뽐내는 갈대 숨소리가 느껴지는
굴포천의 밤이 찾아오면
가로등 불빛 사이로
구찌가 고개를 내민다.
나무 뒤에 숨어 숨바꼭질 하잖다.
저 달이.

청천천

찔레꽃 하이얀 꽃잎 바람에 날리우네
빨간 넝쿨 넝쿨 장미가 담장을 이루고
외씨 버선 아낙은
다 저녁에 어디를 가시나.
저 멀리 다리 건너
부천댁이 날 부르네

숨바꼭질

맹이는 찾았다.
갈대 숲에 숨었네.
맹꽁은 찾았다.
담장 밑에 숨었네.
듬북은 찾았다.
고목 속에 숨었지.
오리도 찾았네.
장독 뒤에 숨었지.
황새도 찾았지.
굴뚝 뒤에 숨었네.
거북도 찾았지.
내 발 뒤에 숨었지.
메롱.

실개천에서

어제는 그러했고
오늘도 그랬듯이
일요일 아침을 굴포천과 함께 한다.
너와 나의 아침을 밝았나니
너와 나의 만남이 소중하리다.
언제나 널 만남이 그랬듯이
날 만남이 있을 때엔
곱상한 얼굴이 얼굴로
널 반기리.

꿈

바삐 가는 세월은
가뿐 숨을 몰아 쉬고
한번쯤 여유롭게 나를 뒤돌아 볼 때
덥수룩한 내 모습에
고이 접은 꿈은 바람이 삼켰나.
세월이 숨겼나.
살며시 가슴 속에 묻어놨던
꿈들을 꺼내어 보네.

인생

보잘 것도 없어라.
부러울 것도 없으이.
서러울 것도 없더이다.
좋을 것도 없으니
나쁠 것도 없더이다.
이도 저도 모르리
난 모르겠네.

청천천에서

노오란 물난초가 피었더라.
보라색 난초도 날 반기네
저 봐라, 나비가 꽃잎에 앉았잖아.
벌도 모였네.
때늦은 아침 식사가 한창이구나.
벌 떼들이.

굴포천

물고기떼 넘나드는 실개천을 따라
밤길에 시원한 바람이 불어오고
굴포천에 노니우던 물레는
깊은 곳을 찾아 잠자러 가나보다.
엥, 깜짝 놀랬잖아.
널뛰듯 뛰며 간다.
떼 지어 물고기가.

굴포천

늪지대에 맹꽁은 울어대고
개구리는 왜 따라 우는지
밤은 깊은데 님이 안 오나 보다.
난 모르지
하늘을 본다.
구찌가 말한다.
비올 것 같진 않은데 왜 우냐고 물어봐, 별들에게.

아카시아

아카시야 꽃이 주렁주렁 매달려

바람이 불어오면

꽃잎을 날리우네.

날 반기잖아.

꽃잎이 널 반기나봐.

떡잎이 하이얀 눈이 온 것 아니야.

꽃잎이 길을 덮었잖아

향기가 향기가 바람에 날려드네, 코 끝에.

찔레꽃

싱그런 냄새가 나를 부른다.
찔레꽃인가, 박꽃처럼 피었네.
어두운 밤에도 소복을 입었나.
아니야, 아니라니까.
찔레꽃이 피었잖아, 바보야.

인생

인생은 구구절절

구구단을 외워도 시원찮고

수수께끼를 풀어도 실타래 보다 길다.

굴포천 가로수 아래 아코디언을 연주하며

발장단에 흥을 이루고

들어줄리 없는 공원 나뭇잎이 춤춘다.

배짱 좋은 구찌 어멈이 몇 곡 노래를 해 보지만

나무 위에 배짱이가 나뭇잎을 흔든다.

단잠 깨웠다고.

늙으면 외롭다

칠십이 넘으면 시끄럽다,
남의 말을 귀담아 들으려 하지 않고
혼자 떠들어 대다가 혼자 울고 웃는다.
아이고 어쩌나 내일 모레가 칠십인데
너나 나나 나나 너나 큰일 났다.
들어줄리 없고 받아줄리 없으이
은주야 어쩌냐
수옥아 어쩔래.

노파

늙으면 목소리만 커지고
마음은 작아진다.
하늘 보고 싸우자 하고
땅을 보고 놀자 한다.
딴 사람 하고 밥먹고
이 사람한테 밥투정 한다.
지나가는 사람한테 나 못 봤냐 하고
본 사람은 모른단다.
어쩌냐, 어쩔래
큰일났다.

엉뚱이 뚱딴지

내 맘 속에 엉뚱인가 뚱딴지 인지 들어있다.
없다, 있다, 있다, 있다.
재밌잖아.
날 놀려도 보고 깜짝 놀랬잖아.
놀아주다가
누가 엉뚱이가 혼자서도 잘 논다.
맹꽁아.

새가 날아든다.

온갖 잡새들이 옥상 턱에 앉아
지지배야 머스마야
지나가는 행인을 놀려대다가
구지 밥그릇을 넘본다.
잠을 잘 수가 없다.
저녁에 놀자니까
구찌가 떠들어 대도
까치랑 비둘기가 느물거린다.
놀자니까, 놀자고~

안녕 친구야

구찌 친구 내 친구
내 친구 구찌 친구
굴포천에 오가는 이는
모두 다 친구이다.
구찌가 있기에 동무가 많고
얘기도 할 수 있고
어색하지도
서먹하지도 아니하고
봤지, 봤지, 우리 만났었지.
안녕.

인사

한 잔의 술잔 속에 마음을 비우고
두 잔의 술잔 속에 우정이 싹트네.
다정한 인사는 빛나는 태양이요,
공손한 말 한마디가
달빛 속에 머무네.

길

그가 나를 소유하려 하지 말아라.
책임 지지 못하면서 그릇만 이고지고
감당 못할 약속은 하지 마라
너를 위해서 한다는 일들이
결국은 나를 위함이리니.
나를 따르게 하려면
내가 따라가 보면 알 것이다.
가야 하는지
와야 하는지를.

외다리 황새

홀로 놀고파 왔을고
누굴 찾아서 왔을까
어두운 물 위를 헤매이다가
갈 곳을 찾지 못한 체
허공을 떠도네, 외기러기 되어.
어쩌다 어쩌다가
이 몰골이 되었을고
외로이 홀로이 서서
오가는 세월을 마주 하는지
한 점의 어두운 물길 위에서
한 점의 흔들림도 없으이.

외다리 황새

번죽이 늘었구려
물 위에 비친 다리는 그림자가 되어 두 개가 되고
고개를 떨군 네 모습이 애닮아라.
놀자고 모여든 물고기에 관심은 없고
한적한 곳에서 곤잠 한번 자보세.

놀올자

나뭇잎이 뒤집어 지면
큰 비가 온다더니
이게 이게 뭐냐구요
비가 오다 말잖아.
나뭇잎도 날 놀려대고
벌이 날 놀리네.
날아가 버리잖아.
날파리가.

맹꽁이

어제도 오늘도 그러했듯이
또 하루가 시작되고
때늦어 애태우던 갈대는 커간다.
맹꽁은 갈대 숲에서 나올 생각이 없고
맹이는 꽃들과 노느라
날 저문걸 모른다.

꽃

여기도 저기도 꽃이잖아.
노오란 꽃 속에
하이얀 꽃도 피었네.
꽃잎이 떨어져 바람에 날리우고`
나도 따라 날아가 보자
꽃잎 따라.

무지개 연못

비가 오면 무지개 연못에
연꽃이 핀단다.
와, 청개구리다.
개굴 개굴 청개구리야
무지개 소녀 짠~짠

무지개 연못에 웃음 꽃핀다.
노래를 불러봐, 박수도 치잖아.
인옥아, 순덕아..
와, 비가 오잖아.

금수강산

살기 좋은 금수강산은 어디로 가고
가뭄에 허덕이며 웅덩이를 찾아 헤매는 들새가 되어
기웃거리는 신세가 되었던고.

문전 옥답

건널목 다랭이 논은
가뭄에 페인 골은
소나무 껍질이 되고
애타는 농부의 시름에
처진 어깨는
여보게
감은 눈 더는 못 보겠소.

동네 한 바퀴

이곳을 가도 저곳을 가고
불빛 찬란한 밤은 곱지만은 않구나.
철 없이 크다가 사라져간 갈대 숲은
커다란 아파트가 하늘을 찌르고
길 잃은 철새는 떠돌다가 굴포천에 머물다
머문다.

어쩌다

어쩌다가 내 나라가 기울어 간다.
타 들어 가는 심정만큼
들 밭에 곡식이 말라 뒹굴고
사람들의 심성도
민심도 변해간다.
나도 변해간다.

꽃

밤에 밤에나
낮에 낮에나
꽃은 피고 진다.
오월은 꽃의 계절이요.
나의 계절이다.
사랑이 왔어요. 왔다구요.
내 사랑이 왔어요.
꽃사랑이.

풀밭에서

개울가에 올챙이는 없지만 들 미나리가 날 반기네.
구찌가 개 풀 뜯어먹네.
비 올 것 같지 않으이.
나도 한입 먹어보자.
풀밭에서 놀다가 날 저무네.
노을이 부르잖아.
집에 가자고.

투병

긴 병에 효자 없지.
삼 일만 아파봐라. 아마도 왠수라지.
바삐 살다 보면 모른다 구요, 어디가 병 든지 알 수 없어요.
둔한 건지 맹한 건지 난 몰라요.
남들보다 조금은 다를 뿐이라 구요.

허무함

가까스로 추수린 마음마저도 한 점의 먼지 되어 사라지고
가뭄에 말라버린 풀잎 되어
뜨거웠던 사랑도 말라버리고
무심한 날파리가 앞을 가리네, 눈 감으라고.

사랑아

저녁 노을 붉게 타는 나의 마음에
가슴 뛰며 숨겨온 내 사랑아
폭풍처럼 몰려와 노을 따라 가버린 내 사랑아.
어느새 노을 따라 나도 가련다.
그림자 되어.

잊어버렸나

나를 잊었나, 잊어버렸나.
한번쯤 뒤돌아 볼만도 한데
그림자도 없더라.
고목 뒤에 숨었나.
날 놀려대다가 잠이 들었나.
소쩍새만 울어대는 이 밤에
행여 올까 기다려보네.
너를

맹세

뜨거웠던 그 사랑도 모두가 거짓이었나.
꽃잎 피면 생각나고 꽃이 지면 떠오르고
낙엽지면 철렁하리
사랑의 맹세는 시들어 가도
고개 떨구며 걷다가 가다가 밤이 깊었네.
갈 길이 먼데.

정착지

삼수갑산을 간다한들 셋방살이 면해본들
무슨 소용 있더이까.
재 넘어 갈길 먼데 오라는 자 없이 떠돌다 다리 밑이 내 집
이요
님의 품에 잠드네.

걱정

- 누이 생각

밥은 밥은 잠은 잠은
쉬련 쉬련 쉬어가련
그리 바삐 살다가 어찌하려우
졸며 졸며 하수구에 코 박아도 난 모른다.
맹꽁아.

두더지 대장간

대장간에 숯불이 이글거린다.

아지랑이인줄 알았잖아.

불꽃 보고 놀랬잖아.

맹꽁이

맹꽁과 공장장 수달은 말발굽 구워 내느라 비지땀을 흘리고

맹이는 예쁜 옷 입고 굴포천을 누빈다.

맹꽁이 슬쩍 슬쩍 맹이를 본다.

맹이가 이뻣나

철드나 보다.

너

아롱 아롱 아롱거리던
너의 모습은 이내 물방울 되어 흩어지고
물방울은 거센 물살에 깨어지네
다롱 다롱 매달렸던 이슬은 아침 햇살에 말라버리고
내 마음에 초원 되어 뛰어 놀던 야생말은 길을 잃었나.

그림자

둘이 걷던 이 길은 그림자 조차 사라지고
꽃 향기만 바람결에 스며드네.
마중 나온 들꽃이 나를 반겨도
텅 빈 내 가슴에 희미한 그림자만 남아있네.

대장간

두더지 대장간에 마중 나온 길손은
휘파람만 불어대고
춤추는 수양버들은 바람에 리듬을 타고
말 없이 훌쩍 가버릴 길손이 저 멀리서 손짓하네
날 오라고.

끌매미

벙긋 방긋 날 보고 웃던 내 님이
저 멀리 그림자 되어 씽긋 웃고 서있네.
청승스레 울어대던 맹꽁은 간데없고
끌매미만
끌끌대네
나무 위에서

바보

넌 날 잊어도
난 널 못 잊네
뽀시시 잠 깨인 얼굴로
물끄러미 바라보던 너의 모습은
개천가에 홀로 핀 홀씨였나
어쩌면 내년 봄에 꽃이 되어 찾으련.

성공

끊임없이 노력하는 자만이 성공을 할 수 있을까
운도 따라 줘야겠지
그렇고말고
사주 팔자가 반은 차지하고
그 다음은 노력이다.
사막에서도 집을 짓고
바다 위에서 돛단배 하나 없이
나무 토막 하나로도 살 수 있어야겠지
난 할 수 있다.
주문을 외워보며 살자.

엉뚱이

자신감을 가져라.
내 자신이 못났다 생각할 할 때가
가장 잘 났다.
나를 알아야 성공 할 수 있다.
날 다스릴 줄 알아야겠지.
난 누구인가
잘난이다.
이쁜이다.
엉뚱이다.

사랑니

사랑이 오려나 봐요.

왔다 구요, 왔다니까요.

며칠 전부터 잇몸이 근질근질 하다가

신경쓰이게 하더니 사랑니가 났다니까요.

내 몸에 폭풍이 몰려와 풋사랑이 왔다니까요.

났다니까요.

사랑니가.

여름

보리가 고개 숙여 익어가면
깨금이 익어가지요.
끌~끌~끌
매미가 울어대면
콩밭을 메야 된답니다.
아마도
나도 따라 익어가나 봅니다.

님 생각

보리타작 할 때면 님 생각이 난다지요.
열무김치 담글 때도 난답니다.
개복숭아 익어가도 님 생각이 나네요.
어쩌지요,
님은 가고 없으니.

뱀딸기

와, 뱀딸기다.

빠알간 뱀딸기가 옹기종기 모여있네.

봤지, 봤지, 은주야, 수옥아.

여기도 있네. 신기해라. 빨갛잖아.

두 볼이 터질 것 같아.

네 볼이

내 볼이

굴포천

달밤에 굴포천에 별이 되어 쏟아지는
하루살이가 날파리가
못다한 사랑을 하나보다.
바람이 세게 분다면
날아가버리지.
내 눈을 가리고 코를 덮쳐도 밉지만은 안구나.
날파리가.

외롭지 않다니까요.

빠알간 꽃 노오란 꽃
벌 나비가 날아와
난 외롭지 않네.
벌떼들, 들새들 날아가 버려도
난 슬프지 않네.
어쩌다 황새가 내 옆에 앉았네.
나는 외롭지 않네.

초원

능금이 커가는 내 고향은 구름 덮이고
가물가물 옛길이 생각이 나네.
보슬보슬 비 오는 날에
아기 염소가 돌담길 넘어도
매미가 울어대고
초원은 말이 없네.

고향 가는 길

잠은 잠은 안 오는데
내일이면 고향에 가려우
가보려고
드믄 드문 가는 고향은
산천 초목이 바뀌고
한 바퀴 산이 굴렀나.
누워 있던 산들이 서 있고
내 눈이 안보이나
산새만 반기네.

고향

하이얀 수건 쓰고 동구 밖에서 날 반기던 할매가 점터밭에 누워있고
이곳 저곳에서 일하던 동네 아재 엄니들이 아니보이네.
여전히 계곡은 흐르고 옛 동무가 그리워라.

아비

어젯밤 꿈속에 울 아버지가 웃었네. 웃더이다.
그리 보고 싶었나 보다.
무심한 세월은 철 없이 가고
철 없는 갈대는 내 키를 훌쩍 넘어 커간다.

울 아배

잘 있어라.
말 한마디 하지 못한 체
가버린 아비가 보고 싶어라.
내 모습 안에 아비 얼굴 흡사하니 좋구나.
내 걸음걸이가 비슷하니
그림자 따르네.
아비가.

내 아배

울 아배 이마에 주름꽃이 피고
축 쳐진 어깨가 가여워라.
어쩌다 얼굴이 마주치면 빤히 바라보아도
서로의 두 눈엔 이슬 맺히고
할말은 많은데 말이 없네.
말이 없네.

그 이름 아버지

잘 있어라. 부디.
말 한마디 남긴 체 가신님은 올 줄 모르고
뒷동산에 올라 크게 부르다 부르다 목이 매이고
지친 메아리가 잠이 들었네.
단잠이.

산소 가던 날

산소에서 나비가 앉았네, 매동 위에 벌나비가 날 반기네.
아비의 묘에서 보랏빛 엉겅퀴가 피었네.
산소 옆에 산딸기가 익어가네.
아비 옆에서.

고향

개울가에 흰나비가 마중 나왔네.
꽃내음 그윽한 내 고향은
저녁 노을이 날 반기고
먹구름, 흰구름도 날 오라 하고.
숨은 그림자 날 따르네.

고향

할배야 내가 왔다.
할매야 내 왔다.
가시덤불이 심술을 부리네.
산 너머 빗줄기가 인사하려나.
어느새 달 그림자 연못 위에 비치고
외갓집 가는 길에 달빛 따르네.

외갓집

외갓집 담 옆에 가죽 나무가 날 반기네.
삼촌은 아니 보이고
날 저문데 빈 지게가 내 눈에 들어오고
산에서 바라보네
외삼촌이
저 멀리 매동에서.

고향

산아 산아 산들아.
너는 어찌 변함이 없는가.
철 없는 나는 늙어가도
너는 어찌 그대로인고
쪼로록 쪽쪽
짹짹 후루루루
뻐꾹 뻐꾹 울어대도
질리지 않으이.
소쩍 소쩍 소쩍새도 늙지 안으이.
아름드리 소나무가 허리를 굽혀도
졸졸졸 시냇가에 송사리떼 고개 들어 날 반기네.
정복이 아배가 아랫목에 앉아 날 반기고
옛 집에 뒤안에 샘물이 내 목을 축이네.
계곡은 나무들이 삼키고
물소리는 여전한데
물 속에 반딧불 날 저물길 기다리네.
앞산에 구름이 넙죽인사도

뒷산에 노을이 정신 차리라 하네.
길목에 정자 나무가 내 옷을 당기고
난 이미 물속에 뛰며 노네.

덕유산

구름 덮힌 산은 산은
가랑비에 산신의 수염 타고 구름 오르고
개울가로 무지개 다리 되어 날 반기네.
무지개 다리를 타라며 흔들지만
난 오르지 못하고
바람이 되네
무지개 안고.

해질 무렵

저 멀리 버란이가 보일 듯 말 듯
울 할배가 춤추던 고을에
소나무 앉아 울던 학이 날 반기네.
벌떼들 산새들 날아와 합창을 해도
내 친구들이 그리워라
저 산 너머 노을이 숨어
빼꼼히 숨바꼭질 하자네.
노을이

고향에서

복남아, 옥희야, 정복아, 우식아, 꼬마야, 점남아, 필수야, 천수야, 쌍우야, 노올자.

텅빈 마을은 낯선 자들이 날 반기네.

호루라기 새가 크게 소리치고 계곡 소리 조용한데

길가에 집신풀이 날 반기네.

방재마을 입구에 당산나무 사라지고

나무 밑에 베니베니 반나 반나 춤추며 떠들어대던 머스마와

지지배도 사라졌네.

기마전에 소리치던 얼마들이 그리워라.

해질 무렵에 고향에서.

굴포천

탈없이 갈대는 커가고
철없는 잡초가 내 키를 넘는다.
비가 오락가락 풀들은 춤추고
물새들 넘나드는 개울가에
하루살이가 극성이다.
개미가 이삿짐을 꾸리는게
장마지려나 보다.
아마도.

봄은 가고

꿈결 같았던 봄날은 가고
꽃들의 봄은 가려나 보다.
너 잘났다.
나 잘났다.
서로 뽐내며 앞다투어 꽃을 피웠지.
어느덧 벚꽃이 떨어진 가지에 열매가 익어가고
짧은 여름이 시작되려나
왔어요, 왔다 구요.
여름이.

사랑

드문드문 새록새록
생각나는 사람을 잊지 못한 체
가물가물 잊혀져 가네.
문득문득 보고파도
볼 수가 없어라.
가까이 있어도
널 잊어야 하기에.

약속

간다 간다 하면서 못 가고
온다 온다 하면서 못 오니
기약 없는 그 약속에
마음 서러워라.
덧없이 세월만 가네.

굴포천

다리 건너 개울가에 잡풀들이 사라졌다.
꽃들이 사라지고 벌거숭이가 됐네.
밤새 속잎이 뾰족뾰족 돋았네.
속머리 같아.
언제 크려고
왜 잘라냈데, 풀들을.

너구리

굴포천에 너구리가 길가로 올라왔네.
어찌나 말랐는지 눈 뜨고는 못 보겠네.
지나가는 행인이 강아지 간식을 던져주면
덥석 먹고 숨는다.
그 작은 간식이 성에나 차려나.
멀리서 빼꼼이 날 보고 있네.
불쌍한 모습으로
어쩌냐.

너구리 한 마리

굴포천에 너구리가 먹을게 없나 보다.
지난번 봤을 때는 제법 통통했는데
그땐 낯설다고 가까이 오지도 않더니 이제 부르면 온다.
내일 구찌밥 가지고 가자 구찌야.
간식도 가져가자.

너와 나

너와 나의 고향은 언제나 푸르고
고무딸이 익어가는 깊은 산골엔
꽃향기 머물고
너와 나의 마음 머무니.
내 고향에.

새싹

들쑥날쑥 들꽃은 피고
가까스레 피던 꽃이 지면 먼지만 날리나 싶다가
단비가 내려 또 새싹이 나온다.
어디서
땅속에서.

굴포천은 흐른다.

겁 없이 커가는 갈대 숲에
겁쟁이 맹꽁이가 곤잠을 잔다.
외로운 너구리는 끼니를 거르고
물오리가 남긴 고기 가시가 목에 걸렸나 보다.

맹꽁이 주막집

빼꼼 빼꼼 맹꽁이 주막집에 길손이 문 앞에서 서성이고
배고픈가 보다, 못 보던 얼굴이네.
맹이가 말하자 맹꽁이 말한다.
너구리잖아.
들어와.
맹이가 부르자 서있다.
에그, 쑥스럽구나. 먹을걸 던져주니 가지고 도망가네.
굴포천 늪에서 봤는데 여기까지 왔구나.
박물관 근처에서만 놀다가 왔네.
이제 구찌와 네가 있는 곳에 먹을 것을 가지고 갈게. 너구리
야.

청천천은 흐른다.

나는 자 가는 자의 하루가 저물고
구르는 자의 밤이 찾아왔다.
갈대숲에 잠자던 꾸러기 맹꽁이 길가에 구른다.
구찌가 공놀이를 하고
능청스런 꽁이가 죽은 척 한다.
하루살이가 기승을 부려도
나는 달린다.
이 밤에.

응어리

나를 깨우는 것들과 나를 지치게 하는 것들이
돌덩이 되어 살아가지만
깨어지나 싶으면 또 뭉치고
뭉치나 싶으면 녹아 내린다.
조금씩,
사거리 주막집

꽁이네 주막집에 굴포천 식구들이 오랜만에 모였다.
바빴다고 모두들
대장간 가족들도 바빴고
지지배배도 장사가 잘되어 바쁘고
듬북은 아팠다.
왜?
맹이가 굶어서 굶어서 맹꽁은 여전히 술독에 빠져 살고
맹이는 꽃들에 미쳐 산다.
요즘은 너구리, 족제비 꼬리에 반해서 정신 못 차리고
듬북이 화났다.
샘이 난 모양이다.

사랑

불 같은 성정을 닮았나
불 같은 내 사랑은
바람결에 흩어지고
꽃잎 되어 물 위에 흐른다.
기쁨에 가눌 길 없었던 나의 사랑은
서툴러 벌벌벌 떨다가
개천가에 귀퉁이 머무네.
잎기 되어.

내 사랑

가지런히 모아놓은 나의 사랑은
나란히 나란히 들꽃 같아라.
금새 지고야 마는 꽃들이 나의 사랑이련가.
보면 이쁘고 뒤돌아 서면 잊혀져 버리고
다른 들꽃을 보면 또 예쁘고
지는 꽃도 서러워라.
내 사랑도 서러워라.

아들을 그리며

오지 않는 아들을 그리다 하늘을 본다.
뭉게구름 사이로 아들은 구름 뒤에 숨어 울고
애미는 구름 밑에 눈물이 비가 되어
흐르는 비를 맞으며 운다.
구름은 흘러가고
흘러가도 애미는 서 있다.
그 자리에
목석이 되어.

널 그리며

내 아들은 무슨 생각할까
바람결에 전하는 말은 없어라 없던데
이 계절이 지나면 또 다른 계절이 오고
공기 중에 떠도는 소문은 무성하더이다.
조용히 불러보네.
너의 이름을
널 그리며.

통곡

소리쳐 불렀네.
이 가슴 터지도록.
하늘 보고 탄식해도
땅을 보며 통곡해도
대답은 없고
애닮은 내 마음만 서러워라.

메아리 되어

아리삼삼 삼삼한 너의 몰골은
애닲아 아니 보이고
삼삼아리 아지랑이 널 몰고 가네.
뒤쫓아 가보지만
산 너머 가버리고
부르는 메아리만 귓전에 맴도네.

맹꽁이 주막집

동이 트는 이른 아침에 사거리 주막집에도 아침이 밝았다. 술독에 빠져도 아침엔 마당을 쓴다. 맹한지 꽁한지 모르는 맹꽁이 가족이 아우성이다. 출근 준비 두더지 대장간에 일하러 다니는지 오래다. 맹꽁이 뺀질이 딸 맹꽁은 밤이면 길가를 누비고 낮엔 돈 벌러 간다. 맹한지 꽁한지 맹이는 술을 담아 장사를 하고 굴포천 식구들과 잘도 논다. 오늘은 뽕잎주를 담그고 명화나물을 무쳤다. 뽕나무를 가을에 베어 말려 놨다가 술에 누룩밑에 술이 익어도 막걸리 다 먹을 때까지 술독에 띄운다. 당뇨에 좋고 맛도 좋다.

나와 너

너와 나의 고향은 다르지만
마음은 하나다.
아니라오.
마음이 하나일수 없지.
하나로 느끼며 사는 거지.
하늘이 하나지.
땅도 하나지.
모르겠다.

듬북 듬북이

너울 너울 춤추는 개울은 세월을 잊었나.
듬북 듬북 듬북새가 울어대다가
맹꽁이 숲에서 잠만 자더니
거리에 풀 속에 새끼가 바글바글 하다.
듬북은 겨우네 뭐했데, 짝도 없고.
먼 산만 본다.

덕유산

덕유산 산 자락에 옹기종기 모여있는 선조들의 무덤 옆에 아비 무덤이 있다.
구름 덮힌 골짜구니에 양지 바른 곳에 울 아비가 있다.
딱 한번 보았던 사위가 넙죽 절하고 고루고루 선조들을 챙기는 맹꽁이 어여쁘다.
마누라가 이쁘니 글치, 큰 사위가 왔다고 중얼거리기까지
맹꽁이 아비 어미는 산소 하나 없는데. 괜스레 미안해지네,
요 맹꽁아.

조상

윗대 할배 산소 앞에 아카시아 나무가 제법 자리를 잡고
힘껏 당겨 보지만 안 뽑힌다.
자꾸만 거슬려 여름에 가서 아예 없애련다.
가을이 제격이긴 한데 대를 자르고 약을 발라 비닐로 묶으
면 죽는다.
나에게 해준 것 없는 조상이 왜 나는 신경이 쓰이는 걸까.
나의 몸을 주신 것을 감사하자.
뿌리가 있기에 내가 있고 내가 있기에 이 세상이 존재한다.

사랑

사랑이 머무는 자리
그리움이 머물던 자리
바람이 불어와도 생각이 나고
구름이 몰려와도 생각이 난다.
시작도 없이
끝도 없으이
만남 없는 이별에.

노올자

밤새 천둥번개가 몰려와 깜짝 놀랬잖아.
곤잠 자다가 덕유산에서 숨바꼭질 하던 천둥이 번개가 왔데,
왔어.
내 지붕 위에 놀자 하네.

장마

장마가 왔어요, 왔다 구요.
비가 온다 구요, 온다니까요.
이른 장마다.
싸리문 울타리를 손 봐야 하고
초가집 지붕도 손 봐야겠지.
용마람을 갈고 보리대를 속에다 널어야지.
외양간도 안전한가
쓸데없이 장마통에 맹꽁은 울어댄다.
맹이의 한숨은 아랑곳 없이
술만 먹는 맹꽁은 날궂이를 해댄다.
울다가 웃다가
하루 해가 가고.

그리움

굿은 비 오는 밤
잠 못 이루고
배틀 노세
배틀을 노세.
옥망강에 베틀을 노세
노랫가락이 귓전에 맴돌고
지척에 그리운 님을 그려본다, 살며시.

외다리 황새

외다리 불현듯 떠오르는 모습이 애절하구나.
두 다리로 서있기 조차 힘이 들고만
안쓰러운 마음에 그리움만 더하네.

외눈박이 황새

사라져 버린 외눈박이 황새가
가슴에 남아있네.
어쩌냐, 갸날픈 몸으로 어찌 살래.
애타는 심정이 애닮어라.

영영

그대, 그대 날 버리고
멀리 멀리 아주 멀리 떠나가 버리고
가슴에 상처 가눌 길 없이
영영 떠나갔구나.
그대, 날 잊었나, 잊어버렸나.
버리고 떠나가더니
그저 잊어버렸구나, 영영.
그림자 되어 사라진 그대여.
돌아올 수 없는 길은 가버리고.

님이 오려나

꽃이 피고 새가 울면
오신다더니 아니 오네요.
봄이 지나고 지나가 버리고
여름의 문턱에 서 있네.
오겠지, 오시려나.
무심한 가을만 오네요.

만끽

짝사랑도 사랑이라.
외사랑도 사랑이요.
짝이 있어 좋고
외사랑은 슬프지만
짝을 그릴 수 있기에 만족하오.
사랑을 할 수 있을 때 행복하오.
내가 살아있기에.

인생

한낱 파리목숨보다 못한 인생이
무어그리 대수라고.
아둥바둥 바둥바둥 살아가는지
알 수 없는 일이지만
내가 사는 날까지
지구는 돌아가고 있기에.

따순날에

굴포천에
청천천에도
물속에 물풀은 온 몸에 물귀신 되어
머리를 푼 체 물결에 노 저으며 커간다.
따순날에.

향기

풀 내음인가
꽃 내음인지
싱그러운 냄새가 코 끝에 맴도네.
금새 풀물에 다림이해서
입은 님의 옷인가
날 당기네.
그 향기가.
님의 향기가.

미련

갈까 말까 하는 것이 미련이지요.
아무것도 아닌 것이
하는 것은 네 생각이고
근심을 이고 지고 사는 것도 네 맘이고
할까 말까 하는 것도 내 맘이지요.

멋도 아니고

이도 저도 아닌 것이
까불어대도
까불 수 있어 좋다.
기력 없어 까불지도 못 하고
멍하니 바라만 보다가
저도 이도 아닌 세월만 가네.

고향

눈 감으면 떠오르는
아득한 내 고향
지금쯤 고무딸기가 익어가려나
요때쯤 오디가 익었으려나.
논두렁에 뱀딸기가 어여쁘더니
요때쯤 늘보리가 익어가더니
끌끌끌 끌매미가 울어대더니
보리타작하려나
울 할배가 마당에 진흙 다듬네
보리타작하려고.

주마등

주마등처럼 스쳐가는 생각들이
날 가져가도
가져가 버려도
고향이 가져가 버린 내 마음은
이곳에 머무네.
굴포천에.

잎기

수면 위로 떠오른 입기가 잎긴지 흐물거리다 개천가 귀퉁이 머물다가
물이 빠지면 말라버리지.
그러다 물이 차 오르면 되살아난다.
잎기가.

못난이

슬그머니 슬며시 그려보지만
아련히 아리삼삼 기억은 없고
아리삼삼 어설프게
생각이 나네.
못난이가.

엉뚱

괜스레 울컥하고
공연히 씁쓸하네.
에그머니 그랬구나.
미친짓인줄 알면서
엉뚱한 생각에 빠져본다.

꽃

날 보러 와요.
널 보러 갈게.
이렇게 예쁜 날 안 보면 후회할걸.
앞다투어 피어보지만
반길 이 만무하고
꽃을 이 꽃을 못 본체 하네.

둥지

꽃이 시들면 향기는 있더라.
사람도 늙으면 시들어 가고
향기는 있되 냄새가 나지.
벌 나비도 피해가자니
뒤돌아 보네, 한번쯤.

갈등

한때는 삼천배에 몸을 실어 무한한 세계에 빠져본 적도 있
지만
그래도 하이얀 세상에 내 마음 머문다.

갈등

이렇쿵 저렇쿵해도 세상은 굴러가고
이러니 저러니 해도
차 바퀴는 굴러간다.
이런들 어떻고 저런들 어떠하리.

정처 없이

가도 가도 끝이 없는 인생길은
허무하더라.
나뭇잎이 떨어져 길가에 구르고
나뭇잎 가는 길 따라
나도 가보네.
그 길을.

외다리

외다리 황새가 한쪽 발이 잘린 체 떠돈다.
홀로히 홀홀히 흩어지는 물결 위에 서 있다.
나른다.
유유히
물 따라 날아간다.
창공을.

마중

님 마중 가쟀더니
별 마중 가네.
두근두근 두근대지만
별 마중이네.
여름이 왔나 봐.
별일이네.
금방 오다니.
아직 봄인데
별탈 없이.

손님

손님이 오시려나
두근 두근 두근 설레여 보네.
손님이 오신지 얼마 되지 않아 가버리고
마중을 가야 하나
배웅을 해야 하나
여름은 가고
가을이 오려나
아직 봄인데
손님이 오려나 보다.

굴포천

날파리 하루살이 극성을 부려도
물 속에 잎기풀이 개울을 삼켜도
실개천은 흐르고
무지개 넘어로
기러기 떼 넘나드네.

꽃

벌 나비 꽃 나비 날아와 앉았네.
난 너무 예뻐서 살자기 살작쿵
내 입 맞추었네.
빨개진 내 꽃잎 보소
벌 나비 꽃 나비
날 반기네.

꽃

산새들 들새들 떠들어 대지만 난 상관없어
바람이 불어와 날 흔들어 대지만 난 괜찮으이.
이슬이 내려와 내 몸을 적셔도 난 괜찮아.
산새들 들새들 날아가 버려도
난 외롭지 않네.

꽃

살자기 살작쿵 윙크를 하여도
난 끄떡 없고
비바람이 불어와 내 몸을 날려도
난 무섭지 않네.
씨앗이 있지롱, 메롱.
날파리 쇠파리 꼬집어 대지만
난 무섭지 않네.

얘들아 노올자

뚱자야, 고양이 임신중.
또 도도야, 까불래, 고양이
거기 서라고
엉, 도망가잖아, 너구리가
이리오라고 놀자니까.
황새야. 진드기 구찌 몸에 붙었네. 놀자고. 에그.
보리야 이리 온 그대로 있어봐.
내가 죽겠다.
속만 태우는 요놈들 땜에.

노올자

맹꽁아 이리와, 도망가잖아.

풀밭에 숨었네. 달도 없는데.

오리가 물 속에 들어가 나오지 않아.

엉엉, 울잖아. 죽었나봐.

요기 있지롱. 보리가 고개를 내미네.

꽃나비 날잖아. 풀 잎에 앉았네.

날아가 버렸네. 어쩌나.

풀 밭에 굴렀네.

발목이 삐었나봐.

엉덩방아도 쪘나봐. 내가.

청천천

무지개 개울은 언제나 시끌벅적
실안개 기울어 이 밤이 새도록
까불어 대어도
나무라는 이 없고
떠들썩 물오리 물장구쳐도
말이 없네, 실개천은.

듬북이 듬북이

처음부터 당신을 만나지 않았다면
이 슬픔 이 괴로움 없었으려나.
가뭄에 콩 나듯 보는 얼굴이 기억은 없고
가물 가물 목소리는 뜨문 듬북새 되었네.

허무함

이도 저도 아닌 것이 날 울려도
이고 지고 지고 이고
갈 것도 아니면서
발버둥친다.
인생은 부질 없어라.
있다가도 없고
없다가도 있고
내 손에 있는가 싶으면
남의 손에 가 있다.
내 것이 남의 것이요.
남의 것이 내 것이 되고
욕심을 버려라.
너나 나나,
나나 너나.

연인

비에 젖은 여인의 마음
왜 그리 슬픈지
당신 모습 그려보다
그리지 못한 체
물 위에 떠가는
물방울 되었네.
잊어야 하는 가요.

애가 타

이도 저도 아닌 것이
내 속을 태운다.
가지런히 놓아 둔 젓가락은 흩어져도 그 자리
한 번 준 마음은 변함 없는데
계절만 오간다.
무심하게도.

기다림

누굴 기다린 다는 것이
기쁘기도 하고 슬프기도 하고
마음이 잔뜩 부풀었다 꺼지기도 하고
설에이기도 하다.
가슴이 쿵당콩당 널뛰기도 하다가
미끄러지듯이 쭈욱 미끄러지기도 한다.
어쩌냐 이 마음 네 마음.

알 수 없어

노을 빛 물들인 꽃잎들이 빨개지고
감꽃이 피더니 밤꽃이 춤을 춘다.
들녘은 푸른데 보리는 황금빛 물들이고
교만했던 보리가 고개를 숙였다.

알 수 없어

달과 같이 잠들고
별과 같이 맑고 맑은
곱고 고운 네 모습 그리다가
잠이 들어도 찬란했던 시절은
어디다 감춰야 하나
어디에다 숨겨야 하나
내 마음 알 수가 없네.

철세

아직은 새벽 바람 차가운데
떠도는 철새는 길을 잃고 헤메다 어느 처마 끝에 앉아 우나.
이 마음 서러워라.
낯설은 타향에서 달빛도 처량해라.
떠도는 철새는 갈 곳이 없구나.
낯설은 타관객지 받아 줄리 만무한데
새벽이슬 차가운데 날개를 접어보네.

이별 노래

- 작사 작곡 최혜선

아~아 내 님은 어디에
외로운 황새는 물끄러미 물 위에 비춰보네.
별도 달도 자라고 아우성 대보지만
잠은 잠은 오지 않고 아~아~아
내 님은 어디에
안녕~안녕
그 인사도 나는 싫어
달도 가도 별도 잠든 이 밤도 나는 싫어.

허무함

이런들 어떻고 저런들 어쩌냐
살다가 살다가 보면
이런 날도 있고 저런 날도 있지.
날 슬프게 하고
변덕스런 날씨가 장난을 쳐대도
천연덕스럽게 웃고야 만다.
속 없이 흘러가는 실개천에서
하루를 보내고
하루를 엮지만
이 밤은 새고 닭이 울기에
아침이 왔구나.

조상을 그리다

백중이 다가오고 크고 작은 나의 인연은 어찌해야 하나.
지장전에 모셔놓은 이름에 가슴 아파도 알아줄 리 없는데
숨 죽여 우는 나의 곡은 대나무 되어 흔들리고
이름 모를 조상님이 구천에 떠돌다
내 어깨에 앉았네, 나비 되어.

속세

속리산 법주사에 모셔 놓은 나의 조상님은
지장전에 가리런히 앉아 울고
새벽마다 극락왕생 빌고 비는 곡덕비는 부처님을 깨우누나.
수 많은 서른 두 분의 모습들이 주마등처럼 스쳐가고
고맙다는 인사마저 저 멀리 두고
죽은 자와 산 자의 길목에서 서성거려 보지만
내 그림자 사라지고 마네.

꽁이

천연덕스런 고집쟁이가 웃고 있다가 먼 하늘가에 서 있네.
이리 가자니 멀고 저리 가자니 지척이다.
갈 곳은 많지만 오라는 이 없고
내 살점 뜯길세라 줄행랑 쳐보지만
끝내 잡히고 마네, 치마폭을.

내 마음

별난 사랑도
별난 인연도
많고 많지만 내 눈에는 못난이만 보여
내가 못나서 못난이가 잘난인지도 모르지만
왜 아픈 건지 몰라
난 조금 삐뚤어졌나 보다.
삐뚤이가 예쁜걸 어쩌라고.
이 마음
내 마음.

그림자

아침 이슬 머금은 이른 아침에 멍멍개가 짖더니
머뭇거리던 길손이 문 앞에 와있네.
누구를 닮았나 보려 하니
가버리고 등을 돌린 체 늦잠을 잤나 보다.
꿈이로구나.
불러보지만 이름은 없고
사라져 버린 그림자만 바라보자니
먼동이 트는 구나, 번번하게.

신세대 쉰세대

해는 구름이 뒤따라 오는 걸 알지 못하고
나는 거닐 때 그림자가 따름을 알지 못한다.
사람은 언젠가 배신을 한다는 걸 알지 못하고 정을 준다.
사랑에는 맹세가 없다. 굳은 언약도 없다.
요즘 사람은 쉽게 만나고 헤어진다.
꿈결이 아니라 바람결이란다.

사랑

별빛에 숨은 꽃들이 달빛에 이슬 내리고
해가 뜨면 꽃잎이 진다.
아련히 떠오르는 사랑은 가눌 길 없고
해가 떠도 별이 떠도
가슴 깊이 새겨 놓은 허무한 그 사랑은
만날 길 없네.

백마

백마는 꼬리에 세월을 달고 달린다.
하늘을 날다 지치나 하면 밤이고
날다가 쉬는 건 아픔이다.
쉬지 않고 달릴 땐 슬픔이다.

고향

옥수수 익어가는 가을 들녘에
풀피리 불러주던 사내는 어디 가고
매미 되어 울어대나
내 고향에 두고 온 하늘은 저리 맑은데
멍하니 내 그림자 연못 위에 고추잠자리 되어 맴도네.

그리움

자식을 그리는 애미는
밥 한끼 배불리 먹이지 못한 애미는
자식에게 미안하여 옛 생각에 머물고
자식은 기억에 없다.
세월은 흘러 해는 서산에 기울고
찾는 이 없는데
아픈 노모는 정한수에 목이 메이고.

고향

우리집 강아지는 복남이네 집에서 아침을 먹고
뒷뜰에 생쥐는 점남이네 집에서 점심을 먹는다.
정복이네 보리타작은 끝나고 내일은 우리집에서 보리타작을
하련다.
가뭄에 콩은 나고 안방재 팥밭에 열무가 커간다.

고향

뒷동산 공덕비는 비에 젖어도
산딸기는 익어가고
꼬마네 방앗간에도 보리 찧는 물고가 돌아간다.
헨생이네 담배 찌는 냄새는 연기가 사로잡고
아침 안개 걷히면 먼동이 트려나.
저 멀리 고추잠자리 날 오라 하네.

덕유산

험짓 하나 없는 산 봉오리는 언제나 푸르고
지지배배 머스마는 참새가 되었나 하루 종일 호루라기 새는
입이 나오고
날 반기듯 정지에서 버선발로 뛰어 나오는 울 할매가 그리
워라.
논두렁에 억새풀은 날 새는 줄 모르고 커가고
쌍우네 감자가 굵어간다.
옥하네 옥수수가 익어가고
동네 꼬마들 침 넘어가네.
개울가에 감자살이 보리싹 태우는 냄새는
산짐승이 넘나들고 입가에 시커먼 입술은 날 본 듯 널 본
듯 하네.

고향의 여름

울 삼촌은 밤새 담배 찌느라 날 세우고
건조실 굴뚝 연기도 산 허리를 휘어 감다 구름이 되었나.
버란이 스님은 이슬에 젖은 몸이 대문에 들어서고
때늦은 아침밥이 꿀맛이다.
고봉밥에 강낭콩은 어디 가고
감자가 차지했네.
밥그릇이 탑을 쌓고.

보리타작

좁은 마당은 보리타작에 발 디딜 틈이 없고
빨래줄에 모여 앉은 참새는 잠들었나 보다.
생쥐도 한철인가 보네
개미 좀 보소.
보리알만 숨어보네.
농부의 땀방울은 아랑곳 없이 넉살 좋은 먹새통만 늘어만
가네.

비 오는 날에

비 오는 날에는 옛 님이 생각나고
여름 비는 맞은 만 하지.
그도 그렇지 그건 그렇지.
오늘 같이 꿀꿀한 날엔 비라도 맞으면 싶다.
뭔가에 두들겨 맞으면 정신이 번쩍 들 것도 같고
보슬비가 보슬보슬 오는 날에는
나무 뒤에 옛님이 숨어 지켜보는 듯 하지
왠지 모르게.

실개천

하얀 비가 내리네.

보슬보슬 살금살금

오는 둥 마는 둥 하다가

갑자기 빗줄기가 굵어지나 싶다가 조용하다.

확 쏟아지던가

실개천에 옥문이 열리면 하수구 바닥에 온갖 새들이 다 모인다.

토하고 먹고 어디서 몰려오는지 새들이 많기도 하지

먹고 살려고 발버둥침은 인간세계나 자연 세계나 매한가지다.

기다림

기다림은 매우 초조하고 올 건지 말 건지 불안하고
가슴 터질 듯 설레고
가슴 부풀어 조마 조마 쫄아 들고
애간장이 타고 손발이 오그라졌다 퍼졌다.
어쩌나 안 오면, 오면 또 어쩔까.
아등바등 대다가 날이 샌다.
날이 새.
애가 타.

늙어간다, 내가

게금치리 눈이 뜨이면 사물이 가물가물 거린다.
나이가 먹어가고 눈부터 가물가물거리다가 아는 사람이 지나
쳐가도 모른다.
뒤에서 날 불러대도 못 들은 건지 안 들리는 건지
어깨를 쳐 보지만 아랑곳 없이 간다.
휑하니, 멍하니.

성공, 실패

성공은 어떤 의미를 둔 걸까.

어떤 사람은 성공했다 하고 또 어떤 자는 자기가 실패했다 한다.

나는 다 틀렸다고 말하고 싶다.

성공 안 하고 하고 가 아니라 지금 생활에서 만족하면 성공한 것이고

만족하지 않으면 성공 못한 거다.

아무리 성공을 했다고 하나 지금의 위치에서 지금의 자리에서 행복하지 않다면 실패한 거다.

나를 생각해보면 알 것이다.

성공을 했을까, 안 했을까, 생각해보라.

사랑

사랑은 길고도 짧은 이야기이다.

사랑이 있기에 행복하고

사랑을 하기에 기쁘다가 슬프다.

내 생각 해야 돼, 하다가 힘들면 내 생각 하지마~라 하면
슬프고

기대에 못 미치면 원망도 해보고

친구와 우정도 사랑이다.

믿음도 사랑이고

배신도 사랑이라 여기기에 너 편하고 나 편하자고 만든 이
야기가 약이 된다.

사랑이란

쉽고도 편한 말
사랑, 우정, 미련
떠들어 대지만
알고 보면 아무것도 아닌 것이 날 울리고
날 웃게 하는 것들이다.
욕심이다.
인간이 가지고 있는 욕심이 어느 귀퉁이 머물다가
이 말 저 말을 하며 핑계거리를 찾다가 불쑥불쑥 튀어 나온
다.

널 그리며

자꾸만 튀어 나오는 네 생각 때문에
아무것도 할 수가 없다.
개울을 건너다 물에 비친 네 모습 때문에 놀랬고
창문으로 슬그머니 솔솔솔~스며드는 네 생각이 네 냄새가
나고
별이 되어 속삭이다 달이 되어 비추나 싶으면
구름 뒤에 숨어 등을 돌린다.
달려가 안기면 고목 나무요
물 위에 떠있어 잡으면 사라져 버린다.
언제나 네 모습이 멍하니 서있다 허수아비 되어.

칭찬

죄가 많다 생각하면 슬프고
복이 많다 생각하면 기쁘다.
하고 보면 아무것도 아닌 말들이 인생을 사로잡는다.
예뻐져요, 점점, 예뻐요.
그 말에 웃고 내 나이가 60인ㅇ데 어머 젊어 보여요.
그냥 50인줄 알았어요. 라고 뻥 치면
정말요, 좋아한다.
칭찬은 나를 기쁘게 한다.

왠지

떠밀려 오는 생각에 사무쳐도 밀려오는 생각이 날 사로잡는
다.
공연히 오늘은 왠지 좋은 일이 생길 것 같아야 좋고
오늘은 무사히 생각을 하면 멍하다.
아무 생각 없이 출근하다가 나란히 오리 세 마리가 줄지어
가는걸 보면
뭔가가 잘될 것 같은 생각을 하게 된다.

네 생각

비 오는 날 보다는 해가 뜨는 날이 좋고
흐린 날 보다는 구름 거친 날이 좋다.
궂은 비 오면 네 생각이 나고
소나기가 오면 시끄럽고 정신 없어 아무 생각도 않다가
금새 비가 그치면 네 생각이 난다.
맹꽁이 생각이.

님 생각

바람만 불어도 네 생각이 나
비라도 내리면 더 생각이 나고
먼동이 트면 널 본 듯 하고
노을이 지면 미칠 것 같아
눈비가 내리면 더 생각나고
천둥이 치면 놀랠까 걱정이 되고
무지개가 뜨면 널 본 듯 반기네.
널 본 듯.

반반

반반한 네 모습에 반해도 반반이고
뒷모습에 반해도 반반이다.
매끈한 네 몸매에 반해도 반반이고
떨떨한 삐에로에 반해도 반반이다.

열정

열정이 있기에 가능한 일들이 많다.

열정은 불타고 달도 별도 떠오르는 해도 삼킨다.

열정은 못할 게 없고 성공의 비결이다.

다소 손해를 봐도 실속이 없을지언정

차고 일어나는 힘이 강하다.

열정은 좋은가 나쁜가 모른다. 모른다고.

눈치

내 아들은 내 집에 와서 밥 한끼 먹고 가는 게 눈치가 보이나 보다. 눈치를 주는 사람도 눈치를 보는 이도 나무랄 자격조차 없고 이 지경을 만든 이도 나요, 이렇게 사는 것도 나이다. 못난 내 인생은 어디에. 내 눈물은 강을 이뤄도 알아줄리 없다. 잘났다 뽐내 보지만 사라지는 먼지에 불과하고 비단 옷 입고 밤길 걷다가 돌에 채여도 아프지 않다. 내 새끼 아픈 것만 생각하면 내가 없다. 언제나 내 새끼가 날 보고 있다.

울 아들 생각

- 널 그리며

아파트 꼭대기에서 창문을 열면
저 멀리 바다 건너 널 그린다.
일하다 나 있는 쪽을 바라보며 넌 날 그리고
난 널 그린다.
너와 나
나와 너를 그리며
내 한숨은 강물이 되고
내 한숨은 산이 되어도 남들은 모른다.
웃고 떠들어 대다가 방구석에 틀어박혀 울어대도 모른다.
맹꽁맹꽁 울어대다 잠이 들어도 모른다.
나는 알지롱.

맹꽁이

잘난 척 하다가 똥물에 튀겨도 할말은 없다, 있다.
까불어 대다가 우물에 빠져도 할말은 있다, 없다.
나 잘났다 하다가 물에 들어가 헤엄을 못 쳐서 못 나와도
할말은 있다, 없다.
말을 못한다.
우물에서 못 나왔으니.

애가 타

시멘트 포장 위에 흙에서 나와 제 집을 못 찾는 지렁이 가
족이 구른다.
장마 통에 맹꽁이가 우는 까닭을 모른 체 살다가
지렁이가 뜨거워 구르고 몸부림치는 까닭을 알리 없기에
그저 바라볼 뿐이다.
흙으로 가라고
냄새를 알잖아, 바보야.

생각차이

이 말 저 말도 아닌 말들이 나를 울려도
이 말과 저 말을 하면서 남을 울린다.
내가 던진 돌은 물방개를 깨우고
남이 던진 돌은 물고기가 맞아 죽는다.
라고 생각한다.
그건 네 생각이고
내 생각이고.

맹꽁이

별다른 대꾸도
별다른 생각도 해본 적 없다가
겨우 한 마디 하면 꼬집고 흠집을 낸다.
누가? 내가!
남이? 네가!
맹한건지 꽁한건지 모른다, 모른다고, 요 맹꽁아.

맹꽁이

맹하니까 맹꽁이고 꽁하니까 꽁이고
그래서 천생연분이다.
술을 안 먹으면 꽁하고 술을 먹으면 맹하고
맹이는 저 잘났다 떠들어 대지만 꽁이는 눈동자만 구른다.
나무 위에서 맹이가 안 보이면 난리 난다.
그리 좋아.
이

생각은 언제나 나를 비켜가도 나는 생각을 따라가지 않는다,
그저 피하다가 결국엔 나의 생각대로 움직인다,
세월은 나를 끌고 가지만 여전히 나는 아이가 되어있고
굼벵이도 구르는 재주가 있듯이 요리조리 재주를 부리며 살
다가
원숭이도 나무에서 떨어지듯 낭떠러지를 구르다 구렁창에 쑤
셔 박혀도 살아남는다.
물에 악어가 없으니 살아남지.

실개천

실안개 금실대며 퍼지는 개천가에
홀로이 나는 황새는 때이른 아침 상을 물리고 등을 돌린 해
를 바라본다.
홀로이 외눈박이가 보일 리 만무한데
실안개 넘실대는 실개천은 무성한 갈대 숲이 따사롭고
바람마저 등을 돌린 언덕은 구름만 몰려오네.

꿈꾸는 맹꽁이

퀘퀘 한 시궁창 냄새를 오물을 뒤집어 쓴 체로 갈대 숲에 잠자던 맹꽁 가족은 밤이 되면 거리로 나와 풀밭에 숨을까 물속에 숨을까 숨바꼭질에 날새는 줄 모른다.

어쩌다 지렁이가 눈에 띄면 새끼 맹꽁은 줄다리기를 하고 날파리, 하루살이의 응원에 박수를 보낸다. 시끄러운 밤이 찾아와 달도 별도 삼켜버린 어두운 굴포천은 낮인지 밤인지 모르나 보다.

두려워 마라

마지막 가는 길은 험난한 길이라도 막지를 마라.
하얀 머리 나는 것을 두려워 말고 까만 속머리 나오는 걸
반기지 마라.
쓸데없는 사랑도 반가워 말며
손등에 저승 꽃이 늘어만 가는데 자꾸만 가늘어가는 머리카
락에 서러워 마라.
달아오는 해는 뜨겁고
달은 내 눈에 앉았네.
별은 내 가슴에 숨었네.

소문

그렇데가 다리 건너면 그랬었데 가 되고
별 마중인지 달 마중을 갔었대 가
산 넘으면 님 마중 갔다 더라 가 된다.
살짝쿵이 윙크가 되고
뉘 집 며느리 집 나갔데 가
재 넘으면 바람나서 나갔데가 된다.

속사정

처마 끝에 앉은 새는 며느리 밥 굶는걸 알지 못하고
굴뚝에 추워 앉은 새는 이 집에 쌀이 떨어진걸 안다.
연기를 쬐려 앉은 굴뚝이 싸늘하기에
뉘 집은 연기가 나고 내 집은 바람만 부네.

그땐 그랬지.

정남아, 꼬마야, 복남아, 정복아, 옥하야.

모 심고 요맘때 필수네 집 앞 논 물고는 우리 개구쟁이들 놀기에 엄청 좋아라,

낮이나 밤이나 고무신 뒤꿈치 뒤집어 배를 띄우고 물 따라 달렸지.

거센 물은 어찌나 빠른지 따르지 못 하고 엎어지고 뒤집어지고 무릎 성할 날 없었지.

그랬지, 친구야.

등에는 동생들을 하나씩 업고 뛰자니 얼마나 힘들었을까.

그래도 재미있었지.

동무들의 집도 없어지고 동무도 없고 텅 빈 방재는 낯선 이들로 가득하더라.

종이배에 왕개미 넣어 띄워 보내던 물고도 사라지고 옛 추억만 바람에 나부끼네.

친구야

봉숭아 꽃, 복숭아 꽃, 살구 꽃, 아기진달래 노래가 절로 나
오네.
새 집에 얌전이는 전주서 산다더라.
금숙이 새침떼기는 대구서 살고
옥하는 서울에 필수는 부천에 복남이와 옥남이만 인천에 정
복은 영동에
들려오는 소문은 그렇다더라.
헤어져도 만날 사람 만나고 볼 사람 보더라. 죽지 않고 산다
면.
옥희는 강원도 횡성에 산다더라.
소식은 몰라, 소문도 못 들었어.
동생이잖아, 하나밖에 없는 동생.
별나다 별나.

맹꽁 날굿이

맹꽁 맹꽁 맹~꽁~꽁
맹꽁이 울어댄다.
비 오려나. 듬북이 말한다.
맹이가 맹꽁을 찾지만 없다.
갈대 숲에 누워 잠잔다.
족제비 형사가 말한다. 어젯밤 나하고 오늘 장사할 술을 다
먹었다고. 그래서 미안해 숨었다고.
누가, 맹꽁이가
족제비 네가 형사냐 무당이다.
맹꽁은 죽었어 날마다 벌어지는 일에 듬북은 나무 위로 구
찌는 마루 밑에 숨었다.

세월

세월은 날 가자 하고
나는 뒷걸음질 해보지만
이길 장사가 없다.
버티고 버티다 등 떠밀어 보지만
세월은 나를 따라가는지 내가 세월을 쫓는지 알 수 없지만
시간은 흐르고 만다.
아침인가 하면 저녁이고
밤인가 하면 또 아침이다.
도깨비 같은 세상에서 무슨 생각을 할까.

하루살이

굴포천 실안개가 수를 놓을 쯤
하루살이 꽃이 피어난다.
실안개를 타고 놀다가 꽃잎에 앉아 심술도 부리고
끈끈한 살구에 붙어 정 나누잖다.
길가는 객들을 유혹하지만 도망쳐 버리고
어찌 하루를 살지 고민하다가
달빛이 흐르면 숨 넘어 간다.
급하게도.

비 오는 날에

밤새 비 오는 날엔 우산도 없이 거닐어 보고 싶다.
어설픈 웃음이 꽁이에게 들키고
갈대 꽃은 수염자랑을 한다.
어두침침한 다리 밑은 금새 귀신이라도 튀어 나올 듯 으스
스한데
길 고양이 낮잠에 날 파리가 훼방을 놓고
물 만난 고기는 널뛰기 하네.

능수버들

번들 번들 능청 능청 능청꾸러기
느믈 느믈 느믈대다가 바람이 불어와 휘저어 보지만
휘어질 듯 꺾어질 듯 눈길 모으고
사계절을 뽐내며 커간다.
꽃도 피고 열매는 없으나
언제나 푸르름은 장관을 이루고
키 자랑에 뭣도 아닌 게 멋있다.
늘어진 폼이.

참 쉽다

질투의 화신은 날마다 커가고
천사의 화신은 날마다 잠잔다.
에그 에그 그게 글이라고 썼나.
내가 쓰면 그보다 백배 낫다.
악마의 화신이 속삭인다.
천사의 화신이 말한다.
너는 그것도 못하면서 해봐, 해보라고.
안 해서 그렇지 하면 베스트셀러다.
말은 잘해요, 잘해.

할배야, 어쩌냐

내가 커서 어른이 되면 정말 좋겠어, 정말 좋겠어, 하며 컸
다.
어른이 되면 울 할배에게 막걸리를 직접 담아 드시게 하려
했건만
할배가 돌아가신 뒤에야 술을 담궈서 매동 앞에 놔 드렸어.
반 되 짜리 며느리는 할배가 부르는 이름이다.
은주 엄마 작은 엄마는 반 되. 큰엄마는 고봉밥이다.
울 새엄마는 순천댁이고 장날에 은주네 집에 가시면 술을
꼭 반 되만 사서 울 할배에게 드린다.
국그릇으로 딱 한 그릇이다. 더 드시고 파도 입맛만 다신다.
오늘 길에 밥 한 그릇 해주면 어디가 덧나냐? 술도 꼭 반
되지, 나는 두 되는 먹을 수 있는데.
너는 손이 작은 사람이 되지 마라. 하셨다.
큰 며느리는 밥 한 그릇을 못 푸고 작은 며느리는 반 되다.

소녀

내가 커서 어른이 되면 어찌 사나.

나는 커도 걱정, 안 커도 걱정.

쟨 싹수가 노오래.

그 말은 떡잎부터 아니라고 배운 게 있어 본디가 있어.

은주네 숙모가 동네사람들과 하는 말이다.

얼굴만 반반하지. 어떤 사람은 야야 너 아버지가 못 사니까 네가 술집에 가서 네 천정 살려라.

하기도 양 색시가 되라고 하기도 하고.

그게 무슨 말인지 몰랐다. 나중에 알았지만 나는 그리 살기 싫었다.

댕기

할아버지의 고운 댕기를 매만지며 너는 커서 고대광실 높은
집에 살거 란다.

너는 커서 남편에게 사랑 받으며 살 것이고 똑똑한 자녀를
두어 널 기쁘게 할거며 좋은 인연들이 귀인이 되어 널 시시
때때로 도와줄 거다.

내가 죽어 귀신이 되어도 해와 달이 되어 바람과 구름이 되
어 널 따르리.

울 애기 눈에 피눈물 흐르게 하는 자가 있다면 벼락을 칠
것이다.

그 말에 힘이 났고 지금도 내 옆에 할배가 있다. 있는 것 같
다. 그림자 되어.

굴포천

한여름 밤은 겨울 눈꽃을 방불케 하고 망초대 꽃이 초상이
났나.
하이얀 소복을 입었나. 줄 초상이 났나 보다.
온 굴포천이 하이얗다.
멋도 아닌 망초대 꽃이랑 곰보 배추 꽃인지 계란 꽃인지 모
르겠다.
울 할배 꽃상여 같다.

고시래

할매가 복남이네 집에서 엊저녁에 제사를 지내고 남은 떡하고 전을 먹어보라고 가져왔다.

귀퉁이 요기조기 조금씩 뜯어서 마당에 던지며 고시래를 한다.

어제는 새참밥을 뜨기도 전에 들녘에서 동서남북으로 고시래를 외친다.

왜 그래 할매야? 라고 물으면

액운을 물리치고 배고픈 영혼을 달랜단다.

우리 집만 그런 것이 아니다. 다른 집도 그랬다.

품앗이를 가도 동네 어른들은 고시래 먼저 하고 밥을 먹는다. 모 심을 때도 타작을 할 때도.

옛날엔 미신도 참 많았고 심했다. 지금도 미신은 존재한다. 물건이 잘못 들어와 동티가 났나 봐. 어제가 손 있는 날인가 손 없는 날인가 떠들어 대지만 모르고 지내는 게 약이다.

그러면서 뭔 날인가를 본다. 내가 네가 너가.

꿈꾸는 맹꽁이

맹이의 꿈에는 하이얀 반바지 입고 다리를 까불대던 첫 사
랑이 생각난다.

노름만 하느라 나무 한 짐이 없어 굴뚝에는 고드름이 얼어
이불이 있는가 쌀이 있는가 하늘만 쳐다 보다 땅 한번 보다
술 취해 집에 오면 노름하게 돈 빌려 와라, 친정 가서 돈 좀
해오라. 주절대가 잠이 드는 못난 사내가 어설프게 생각난다.
제사 때는 기억을 아니 할 수 없어 행여 아이들에게 해가
될까 봐 꼽쳐 놓은 쌈지 돈으로 제사를 제사를 지내 본다.

꿈

간밤에 피시식 웃던 얼굴은 연기되어 사라지고
가을 거리는 기억 속에 아픈 상처만 기운다.
널 본 듯 서러웠고 날 본 듯 가슴저린 날들을 거울에 비춰
보면
세월이 야속하고 부질 없었던 원망도 사라진다.
굴포천 안개 되어.

아들의 아비 제삿날

가련한 중생은 구천에 떠돌지만
보잘것없는 젯밥에 침을 흘리고
구수한 탕국 냄새에 영혼을 빼앗겼나
못난 영혼 고봉밥은 뉘 집 조상인가
가다가다 가다 가라
닭이 울기 전에
가소 가소 바삐 가소
뒤돌아 보지 말고 가소.

먼 길

내 팔자 기구하여 한번 맺은 인연 가엾어라.
네 신세 내 신세가 이럴 줄 내 몰랐네.
젊은 날은 어디 가고 소복이 왠말인가
남이 볼까 두려웠던 네 설움 내 설움에
곁은 내주지 못했던 그 마음이 서러워라.
마지막 가는 길을 서러워 마라.
거기도 사람 살던 곳이고
여기도 사람 머물렀던 곳이거늘
늘 살던 곳도 머물렀던 곳도 다르지만
서러움 안고 가는 건 매한가지.
너털웃음 웃다 보면 마주하는 눈 속에서
길동무 되어줄지 뉘 아리까.

그리움

영롱한 눈빛은 내 맘 사로잡고
처량한 목청에 탄식 소리는 땅이 꺼지라 부르는 엄마의 노
래
어느 곳에 머물지 모르는 하늘만 무심히 쳐다보다
강 바다가 얼어붙어 버렸네.
애미의 두 발도 얼어붙었네.
목석이 된 체.

짝사랑

가련하기 짝이 없어라.
더 이상 허망조차도 없는 이 밤에
기약 없이 날은 저물고 해지는 곳에 내 아들이 머물려나
희미한 눈은 멀어져 가는 해를 보다가
기러기 떼 떼지어 구름 뒤에 숨어도
새떼들 기룩기룩 뒤돌아 인사하네.
날 보고.

아가

까무잡잡 새침떼기 아가는
날 잊었는지 울다 지쳐도 아리삼삼 그 얼굴은 갓난아기인가
까르르 웃던 곱슬머리 머스마가
내 속을 태우네
꿈 속에서
강 건너 날 오라 손짓하네
아가가.

새끼

꽃밭날 원두막에 누인 아가가 젖 달라 울어대고
문빛 따라 기울던 울 꼬맹이가 보고잡고
빈 젖은 혀만 부르터도 야속한 애미 눈만 말똥말똥 바라보
던 내 새끼는
가뭄에 애타는 애미를 잊었나 보오.

그리움

- 아들을 그리며

불러도 대답은 없어라.

소리 없이 부르는 이름은 바람결이 삼키고

소리 없이 흐느끼며 흘리는 눈물은 빗물이 훔쳤나

터지도록 부르는 이름은 그 누가 삼켰나.

비밀

마음은 마음에 문을 닫아도
바람은 문틈에서 새어 나오고
문풍지를 발라도 숨겨놓은 마음은 언제 들켰나
바라보는 눈빛이 말을 대신하고
숨겨놓았던 마음이 들켜버렸네.
달님께.

아들

까마잡잡 그 얼굴은 달빛 가리우고
달빛 숨은 하늘에 구름 머무네.
어쩌다 하늘가 까마귀 떼 숨 넘어가도
내 귀에 까마귀 조차도 까악 까악 아들의 목소리로 들리네.

허무한 마음

너무나도 사랑했기에
너무나도 보고팠기에
작은 투정은 재가 되고
날 사로잡는 느낌마저도 바람 되어 날 저버리고
두려움에 떨던 입술은 굳어버린 체
허공을 맴도는 고추잠자리 되어 개천을 맴도네.

독사

꽃밭 날 가는 길에 있었고 샘터에도 독사가 버티고 있기에 물 한 모금 먹기 어려웠다. 꽃밭 날 움막 앞 들깨 밭은 무서웠다. 독사가 지나가면 옆에 또 한 마리가 똬리를 틀고 고개를 들어 날 째려봤다. 얼마나 큰지 풀들이 드러눕는다. 둘째를 등에 업고 일을 하다가 잠이 든 아기를 움막에 뉘이면 젖 냄새를 맡고 두 놈이 찾아와 혀를 널름 거리며 뜨럭에 누워있었다. 어려서 뱀 가지고 놀긴 했어도 길이가 내 키만 한 그 녀석들을 감당하기 어려웠다. 굵기는 팔뚝만 하지 아무래도 부부독사인 듯 하다. 전순남 제일 큰 시숙님이 조심하세요. 지수씨 꽃밭 날 터줏대감입니다. 어느 날 지게 작대기를 휘두르며 너 죽고 나 죽자 우물가에 뽕나무 밑에서 소리를 지르며 퍽퍽 소리가 온 들녘을 울리고 독사는 펄펄 뛰고 너를 못 죽이면 네가 날 죽이기에 너 죽고 나 살자 하며 소리를 질렀다. 내 나이 26세 시숙 나이 42세. 작은 체구에 어디서 그런 힘이 나는지 하이얀 런닝은 땀에 젖었고 지게 작대기는 몽당이가 되어 숨도 못 쉬고 있었다. 이내 독사는 부러진 작대기 두 개로 겨우 뽕나무에 걸쳐놨으나 빛나는 비늘에 배는 누렇고 머리는 아기 머리만 했다. 거짓말 조금 보태면 아주버님만 했고 꽤나 큰 뽕나무 가지에 걸쳐놨는데도 반은 땅에 있었다.휴~하며 물을 들이키고 독사가 다시 살아날까 봐 그 자리를 지키며 한 놈을 못 잡았으니 조심하세요. 한나절이나 뽕나무를 바라보던 아주버님은 사라지고 나는 무서워 그 길을 지나갈 수가 없었다. 그 후에 독사는 한여름에도 썩지 않고 뽕나무만 죽어 고목이 될 때까지 독사의 뼈는 그대로 있었다. 아주버님은 그 길을 못 지나가고 당골로 해서 밭을 오가고 샘물마저 말라버렸다.남편 독사는 잡았는데 부인 독사는 멀리 가버렸는지 우리들 눈에는 안 띄었다. 뼈가 얼마나 크고 억센지 그 독사 뼈 옆은 큰 구들이가 버글버글 했고 새들이 바글바글 했으며 들쥐들이 바글바글했다. 일하다 멀리서 뽕나무를 보며 없어진 뽕나무 그늘과 사라진 우물이 아쉬웠지만 독사가 없기에 두 아들을 등에서 내려놓아도 괜찮았다. 아이들은 흙을 먹기도 하고 개미들의 행진을 보며 풀을 먹다가 켁켁 거리며 커갔다. 멀리 갈까 봐 포대기 끈으로 발을 묶어 놓기도 하고 칡넝쿨로 둘을 묶어 놓기도 했다. 한번은 둘째가 카르르하고 자지러지게 웃기에 일하다 말고 달려가니 애기 독사랑 놀고 있었다. 독사가 입을 벌려 고개를 흔들면 좋은지 카르르 하고 웃었다. 아이 눈을 두 손으로 가리고 나도 눈을 감았다. 독사는 사라지고 애기 보라고 맡겨 놓은 큰놈은 도망가고 그 이후

론 죽던 말던 집에다 문고리에 끈을 매어 두었다. 울다 지쳐 자기도 하고 소 대변을 방 안에 봐놓고 누룽지는 먹었는지 물은 그대로 이고 집에 오면 아이를 안고 울었다. 그렇게 아이는 자라고 나는 철없이 커갔다.

박카스 드링크

늦은 봄에 집이 없어서 남의 집에 이 집 저 집 옮겨 다니며 살 때다.큰 아들 6살, 둘째 3살. 큰 아들에게 둘째를 맡기고 밭으로 가서 일을 하는데 느낌이 집에 무슨 일이 있는 것 같았다. 단숨에 달려갔는데 영훈아~라고 불러도 조용하다. 마루에 쥐약병만 뒹굴고 방문을 열어보니 토해서 입이 허옇게 된 체 누워있었다. 두 아들은 늘어져 있고 하나를 업자니 하나가 남고. 안자니 둘은 못 하겠고 동네 사람들을 외쳐도 일터로 나가고 없었다.입가엔 철죽 꽃잎이 붙어있고 시골에선 창꽃이라 했다. 늦은 봄에 왠일인지 큰 놈이 엄마 하니 작은 놈도 엄마 했다. 그러면서 토한다. 뭘 먹었는데? 하니, 습 박카스 드링크 먹었어. 옛날에 쥐약 병은 박카스 병만 했고 유치원 갈 나이가 못 되서 글을 몰랐다. 티비에서 나오는 선전에 병이 흡사했기에 개울에서 두 개 주어 짠하고 먹다가 성진이 성배도 달라해서 나누어 먹었단다. 그 집을 뛰어가는 두 아들이 누워있고 일터에서 점심 먹으러 온 성진 엄마 아버지가 당도하여 구정물을 먹이는 중이었다. 동네 어른들한테 물어보니 토하면 산다더라. 쌀뜨물을 먹이라고 했다.

깨어난 큰아들에게 왜 농약을 먹었냐고 물어봤다. 박카스인 줄 알았다고, 그래서 동생도 주고 성진 성배도 줬다고. 뚜껑이 있었냐 했더니 원래 빈 병 인데. 뚜껑이 닫혔는데 열어서 물을 넣고 흔들어 넷이서 나눠 먹고 갈증이 나서 산에 갔는데 진달래는 없고 철쭉꽃만 있어서 그 꽃인지 저 꽃인지 진달래인줄 알고 먹은 게 씨를 빼질 않고 먹었기에 토했나, 엄마가 모든 씨는 그냥 먹지 말랬는데. 엄마 미안해. 씨앗을 뺄 정신이 없었어. 그래서 아픈가? 했다. 아니 잘했어. 만약에 씨앗을 뺐더라면 너는 죽었어. 진달래 씨앗은 독은 없으나 찬 꽃 철쭉은 독이 있어 더 크면 알려줄게. 물을 먹이니 두 놈은 자꾸 토하더니 점점 좋아지나 싶었다. 아이고 잘못했으면 양쪽 집 아들 넷을 한꺼번에 잃어버릴 뻔했다. 그 와중에도 애들 아빠는 없었다. 큰일이 생길 때마다 아이들을 업고 뛰고 살았기에 아무렇지도 않았다. 오늘도 팔월 단풍은 물이 들었나. 손바닥에 달광은 길을 잃었나.

핑계

사람은 핑계거리를 찾고 있다.

이야기하기 전에 핑계거리 먼저 찾는다.

공부가 하기 싫은 친구가 우울증이래. 병원 갔더니 나 건들지 마. 성질이 더러워 손톱을 뜯으며 물어 뜯으며 나 애정결핍증이래. 병원에 갔더니 건들지 말라고.

내가 성공 못 한 건 완전 부모 탓이야. 공부할 환경을 안 만들어줘서.

부모는 죄인으로 살아간다.

행복

행복
행복하냐고 물어보면 아니라고 답한다.
우리가 보기에 제일 잘난 남편을 두었는데
불행
불행하다고 한다. 왜냐고? 하면 너무 잘해줘서 너무 잘생겨서, 시댁이 너무 좋아서 불만이라고
그래서 우울증이 왔다고 한다.
행복
멀리 있지 않고 가까이 있으나 행복을 모른다. 숨어 있다.
찾지 못하기에 불행하다고 생각한다.
불행하지만 행복이라 여기고 살아가는 사람이 가장 행복한 사람이다.
행복은 그냥 있는 게 아니다. 만들어갈 뿐이다.

성공

성공한 사람들은 앞뒤 없이 열심히 사는 사람이다. 행운이 따라줬기에 사주에 복이 많기에 성공한 거지라고 비웃고 있다. 그렇지만 그 사람들 얘기 들어보면 과연 성공할 만 하다. 나는 성공을 하기에 하려고 얼마나 어떻게 했었는가를 생각하십시오. 남보다 늦게 자고 남보다 일찍 일어나고 뒤에서 노력하고 최선을 다했다고 생각할 때는 늦은 겁니다. 최선을 다 한자는 항상 부족하다고 생각하는 자 입니다. 나는 어떻게 했는가 생각해보십시오. 답이 나오지만 사람은 그걸 모릅니다. 깨달음은 모르는 자는 성공의 맛을 볼 자격이 있다, 없다, 없다. 그 사람이 못 배우고 무식하다 하여 그 사람이 못난이가 아닙니다. 가방 끈이 짧은 것, 긴 것 하고는 상관이 없습니다. 그 사람의 생각과 머리에 든 것과 행동을 보고 평가하십시오. 평가는 교만한 것 입니다. 내가 나를 모르면서 남을 평가한다는 건 매우 불행한 일입니다. 성공은 옆에 있으나 보지 못하고.

원망

원망은 내 마음과 몸을 썩게 하는 독버섯입니다. 그나마 원망할 사람이 있기에 가능하지요. 고아에게 물어보세요. 세상을 원망하고 키다리에게 물어본다면 키가 커서, 키 작은 자에게 물어보면 작아서, 예쁜이에게 물어보면 예뻐서~공부를 많이 해서 직장이 좋은 자에게 불만과 원망이 무어냐고 하면 부러울 게 없어서, 아들이 있는 이에게 물어보세요. 딸이 없어서. 아들이 없는 이에게 물어보면 아들이 없기에. 원망을 마세요. 만족하세요.

느낌

남의 오장육부를 들었다 났다 할 때면 내 오장육부가 뒤틀려야만 한다.

아무런 감정 없이 오가는 눈빛은 의미 없다. 사람은 감정이 있고 느낌이 있기에.

바르게 산 사람은 말씨가 곱다. 거칠게 산 사람은 조금 거칠다.

허나 그 사람의 다는 아니다.

환경에 따라 조금씩 다르다. 어떤 부모 밑에 컸냐도 있다.

고운 부모 밑에 산 사람은 곱다.

장사꾼한테 억세게 큰 사람은 거칠고 역경을 잘 이겨나간다.

느낌은 알 수 있다. 눈빛만 봐도 잘은 몰라요.

몰라요

행복이 무엇인지, 사랑이 무엇인지 몰라요. 원망은 더 못해봤고 어떻게 어떻게 살아야 되는지 모르겠어요. 모른다고요. 살다가 살다가 보니 경험에서 지혜가 나오고 사람들이 살아가는 걸 보고 난 이렇게 살 거야. 너처럼 살지 않아 라고 깨닫고 그렇게 그렇게 산 것 같아요. 해가 뜨면 아침이구나, 해가 지면 밤이구나, 비가 오면 비 오네, 눈이 오면 눈이 오는구나, 겨울이 왔네, 봄이 왔구나. 그렇게 살아서 몰라요, 모른다 구요.

숨바꼭질

꼭꼭 숨어라 머리카락 보일라. 꼬옥꼭 숨어라, 옷자락이 보일라.

꼭꼭 숨었네. 갈대밭에 숨었나. 꽁이를 찾았다.

바위 틈에 숨었네. 듬북을 찾았다.

나무 위에 숨었네. 지지배배 찾았다.

장독 뒤에 숨었지. 맹이를 찾았다.

굴포천에 숨었지.

인생

인생은 무엇인가? 길고도 짧다.

인생은 풍차다. 돌고 돈다.

인생은 숙제다. 끝없는 숙제다.

인생은 실타래다. 잘 풀어야 한다.

인생은 숨바꼭질이다. 숨기고 숨고.

인생은 달콤하다. 솜사탕도 사랑도 있고.

인생은 허무하다. 부서진다.

인생은 모래알이다. 모이나 하면 흩어진다.

인생은 허수아비다. 바라만 본다.

인생은 촛불이다. 꺼지지 않는다.

인생 속에 나는 무엇인가?

한 폭의 풍경화다. 잘 그려진 그림이 되고파서.

꽁꽁꽁

감나무 꽁꽁
벗나무 꽁꽁
붙어라, 붙어라. 내 손에 붙어라.
얼음이 붙었네, 내 손에 붙었네.
송진이 붙었네, 내 볼에 붙었네.
겨울이 왔나 봐. 내 입이 붙었네.

물어 간데요

호랑이가 물어 간데요. 물어 간데요.

아이들은 또 날 놀린다.

동네가 시끄럽다.

물어 간데요, 물어 간데요.

옥남이는 시집은 다 갔대요, 다 갔대요.

호랑이가 물어 간데요. 라고 외친다.

상 할매가 회초리 들고 가신다.

떠밭자 벼룩이래요. 늙었대요. 라고 놀린다.

난 잠을 못 잤다. 정말 호랑이가 물어 갈까 봐.

정

더러운 게 정이라더라.
정에 못 잊어 헤매이기도 하고
정에 못 이겨 살기도 하고
그 정을 못 잊어 참고 산다.
그 놈의 정은 무엇이간에 이토록 애절한지
그 정 못 잊어 사나 보다.
내가
너가
모두가

꽁이네 주막집

꽁이가 책을 냈다네.

굴포천 식구들이 떠들썩거리네. 잔치를 하려나.

허나 맹이가 시무룩하다.

왜, 왜?

발음도 틀리고 말도 안되는 게 많다나. 지가 잘못해놓고 맹이가 글을 잘 못쓰잖아.

각오해야지. 옆 마을 까마귀가 돈도 많다. 그 돈 있으면 맛있는 거 사먹지, 나나 주지.

그게 책이라고 냈냐구 빈정댄다. 속상한가 보다. 맹이가.

사랑방

사랑방에 불이 켜지고 언제나 화사한 모습으로 반기는 주인인 은주가 예쁜 원피스 입고 날 반긴다. 널 반긴다. 다 반긴다 .가지 각색의 사람이 모이지만 대꾸는 없고 네~네 하다가 응~응이다. 나이에 상관없이 서로 잘났다고 떠들어대지만 뭐라 하는 사람 없다. 손에 손에 먹을 것을 가지고 와서 나누어 먹는다. 일터에서 하루 일을 이야기하기도 하고 서로의 고민거리를 이야기하기도 한다. 예뻐요, 어울려요, 멋져요, 서로가 서로를 칭찬하며 늙어가는 아줌들과 놀아주는 아우들이 어여쁘다. 예뻐졌어요. 젊어졌어요. 거짓말이지만 그 말이 그리 좋더라. 어머 자기도 안본 세 예뻐졌어, 얼른 가야지.

웃어봐요

겉으론 웃고 있으나 마음은 운다 울어.
입이 함박만하게 나왔다.
몇 십 년을 거울을 보며 웃어 본다.
예쁘잖아. 달님이 속삭인다.
빛이 나네. 별님이 떠든다.
예쁘다고 천둥이 말한다.
곱다고
거봐라~

목련

히죽 웃었네, 날 보고.
벙긋 웃었네, 널 보고
방긋 웃었네, 쟈 보고
삐죽 히죽 웃었네, 갸 보고
목련이
엉엉 울잖아, 날 보고
펑펑 울잖아, 널 보고
피식 웃잖아, 목련이.

제비

매미는 맴맴맴
듬북은 듬북 듬북 울어대고
참새는 짹짹
제비는 초록 제비
까치는 초록 제비
까치는 제비 몰러 나가고
강남 갔던 제비 박씨 몰고 돌아왔네.
우리집 처마끝에 앉았네.
둥지를 틀었네, 제비가
초록제비가

개미

개미가 꽃잎 물고 가네
엄마 심부름 가잖아
엥, 엄마는 옆에 가잖아, 꽃잎이고
아~아빠는? 고목나무에 오르네 자지 몰고
흥, 날 두고 가려고? 어림 없는 소리
어리다고 놀리지 말라고 막내는 소똥 구르며 가야지
개미가 이삿짐 싸는 게 곧 비가 오려나 보다.
큰 비가.

벚꽃

꽃이 피었네
벚꽃이 날리네
입을 벌려 먹어보자, 맛있어라.
달잖아, 꽃이 달다 구요
엉, 꽃가루가 되었네
꽃잎인가 춤도 추잖아
흔들어대네
꽃잎 안고 바람이 불잖아.
바보야.

봄

파르르 떨던 입술도 눈 녹듯 녹아 내리고
얼음장 같았던 물은 아침안개에도 모락모락 김이 나네
다리 밑에 숨어있던 따뜻한 바람이 봄을 몰고 오려니
설레임 반 두려움 반은 잊혀져 가고
깊은 잠 깨어보니 봄이 왔구나
깨어진 얼음 소리에 개구리 놀랐잖아.
청개구리야.

호랑이

- 그땐 그랬지

옥남아~노올자.

정복아~복남아~꼬마야~재술아~점남아~옥하야, 옥희야, 필수야, 천수야, 해술아 노올자~소가지 붙잡고 이 집 저 집 다니며 놀다가 문 뒤에 숨은 울 막냇삼촌이 호랑이 온다~ 호랑아~하고 소리치면 놀래서 벌벌 이불 뒤집어 쓰고 울었지. 울었잖아. 머스마들 재밌다고 깔깔대며 놀렸지. 놀램도 잠시 귀신이다, 귀신 하고 소리 지르면 옷에다 오줌도 쌌어, 누가? 내가~에그 창피해라, 쉿, 비밀이야~

덕유산 호랑이 말은 하지도 못했지. 왕~어흥하고 나타날까봐 밤에 곳감 얘기도 못했어. 호랑이 덩치는 산만한데 눈은 달과 같데. 헨생이 할아버지가 맨손으로 호랑이 잡았데. 장수였대나봐. 아마도 맞다 맞아. 그랬었데. 그래서 호랑이 집이라 불렀데. 그 집은 가죽이 있었는데 비싸게 팔았데. 가죽을 봤데 사람들이. 그땐 그랬지.

대물림

객지로 나갔던 삼촌들이 구정이네 추석이네 다니러 고향에
오신다. 아버지 바로 밑에 삼촌이 사촌들을 모은다. 내가 뛰
어가지만 저리 가란다. 10원짜리 몇 개를 주며 맛있는 거 사
먹으란다. 그땐 몰랐다. 내가 시집와서 살면서 아이들이 커가
고 시동생들은 다른 집 조카를 모은다. 백 원짜리 몇 개씩
주나 보다. 우리 아들 영훈이가 뛰어간다. 저리 가란다. 저리
가라 호통친다. 하물며 시어머니까지도 쌈짓돈을 꺼내어 연
길 영미만 준다. 문득 생각에 잠긴다. 저런 것 조차도 대물
림을 하는구나. 내 가슴은 갈기갈기 찢기 우고 달은 저문다.

먼 길

핏빛 물든 노을이 찾아와 같이 가자 하고
해지는 길목에 서서 서성인다.
다시는 못 올 것 같은 길을 가려 한다.
불꽃처럼 타올랐던 나의 청춘아
보잘것없었던 인생도 뒤돌아 볼게 없지만
막내딸 자는 모습에 눈에 밟히네
어이 갈까나

며느리들

아들이 많으나 며느리들이 손이 작아 밥 한 그릇을 못 퍼서 벌벌 떠는 큰 며느리, 둘째는 도망가 버리고 셋째는 술을 한 되를 못 사고 딱 한 사발 사오면서 벌벌 떨고 아버님 밥 드세요. 하는 며느리가 없었다. 항상 시조를 읊으시며 하시던 말씀 중 며느리를 다 보진 못하고 갈지라도 며느리가 밥 해 놓고 아버님 저희 집에 진지 드시러 오세요. 저희 집에 오세요. 하는 며느리는 없을 것 같다 하셨다. 울 할배가 시조를 잘 하신다는 것도 울 할매가 어깨춤을 잘 추신다는 것도 아마도 나만 아는 일인지도 모른다. 지금 우리 며느리도 어머님 밥 드시러 오세요 할까.

초심

잘난 것도 없으이
못난 것도 없으이
고만했던 갈대 꽃이 열매에 못 이겨 고개를 숙이고
나도 따라 숙연해지네.

울보

철 없는 매미는 여름에 애미를 묻었나, 저리 우는게
속 없는 잡풀은 저리도 좋아 춤추고
요놈의 잠은 왜 아니 오는지.

방랑

끝없는 방랑 길에 길을 잃어도
무지개 꽃은 피고
늘 푸른 들은 날 오라 하네.
방긋 웃고 벙긋 웃는 벗들이
날 오라 하네.

너와 나

지금은 님이 아닌 남이 된 사람
다시는 생각 말자
생각 말자고 타이르며
혼자서 걷는 밤길에 하염없이 쏟아지는 뜨거운 눈물
두 뺨 위에 흐르는 희미한 달빛은 두 볼에 흐르네.

실개천

저녁 이슬 내리면 풀잎 사이로 스치는 이슬은
더운 발등을 식히고 머지 않은 곳에
네 설움 내 설움 달래는 개여울에서
떼 지어 노니는 철 없는 물오리에 눈길 모으고
시시때때로 피고 지는 꽃들이 내 마음 모으네.
구찌의 속삭임은 별들이 알고
달빛 흐르는 개여울에 빠지고 싶어라.

행복한 날에

행복은 멀리 있지 않다.
가까이에 있으나 모른다.
아파트 꼭대기 일터에서 창문을 열면
시원한 바람이 있어 너무 행복하고
잔소리 하는 이 없어 이리 좋은걸
내가 사장이고 내가 대장이니 무에 대수냐
아들 딸 다 있고 일을 할 수 있어 행복하다.
밥 한끼 먹으려면 벌벌 떨지 않아도 된다.
커피 한잔 먹으려면 움추리지 않아도 되고
마지막을 책임 져줄 가족이 있다.
이만하면 나는 나는 행복하다.

굴포천의 밤

갈대밭에 안식처로 모여드는 새들은
해 기울기를 기다리고
사랑의 속삭임은 분주하다.
죽고 죽이는 세상에서도 새 생명은 탄생하고
계절이 바뀌는 길목에도
꽃은 피고 새가 울듯이
인생은 그렇게 흘러간다.
나도 모르게.

고목

자꾸만 썩어가는 네 모습을 겁이 났구나.
비바람에 끄떡 없던 네가 고목이 되어
마른 가지는 하나 둘씩 꺾어지고
달빛 비친 너의 그림자에 놀라고 말았구나
오지 않는 철새는 정든 가지를 잊어도
계절은 찾으리
정든 가지를.

내 사랑

눈 감으면 떠오르는 사랑.
그 사랑 가슴 치며 애태워도
눈 감으면 떠오르는 그 사랑은 이름 없는 사람이여
깨어질 듯 파도 되어 밀려왔다
거품처럼 사라지는 사랑, 내 사랑.

그 사람

미워할 수 없는 사람
사람 그 사람
손 내밀면 거부할 수 없는 사람
사람 그 사람
다가 오면 뿌리칠 수 없는 사람
그 사람 그 사랑
바라볼 수 없는 사람
사랑 사랑 그 사랑
손 대면 터질 듯 한 사랑 내 사랑.

꽁이네 주막집

하늘에 구멍이 났나, 비가 그치나 싶으면 오고 또 오고.
나 어릴 적에 비가 오다 금새 해가 나면 호랑이 장가 간다
하며 뛰어 다니던 때가 생각나네.
그 말이 그리 재밌더니 웃어줄 친구도 없고 그 말을 생각하
며 혼자 웃는다. 호랑이 장가 간단다. 비가 그치면 해가 뜨
면 빙그레 웃는다. 호랑이 시집가잖아. 이 말은, 그 말은 어
디서 시작된 걸까? 말들도 잘 만들고 어른들은 참 재밌어,
그치 친구야.

맹이네 주막집

주막집에 비 오는 날에도 손님이 많다. 옛날에 토종배추 여름 배추를 밭에다 심어 빠알간 풋고추 홍고추 섞어서 샘가에 화덕에 갈아 맨손으로 슬적 슬적 갈아서 보리 삶은 물을 걸러 김치 겉절이를 하면 그리 맛있었다. 어린 나는 손이 매워서 엉엉 울며 김치를 담아 냈었지. 간은 집간장을 넣어지. 맹꽁이네 텃밭에 한달 전에 심은 토종배추 겉절이는 손으로 뚝뚝 잘라서 국도 끓이고 겉절이도 했다. 여름엔 된장국이 약이다. 막걸리는 윤모초주를 만들었다. 윤모초는 여름에 속앓이를 막아주고 더위를 잊게 해준다. 다음엔 황기주다.

맹꽁이네 주막집

향긋한 냄새가 길가던 꾼들을 모은다. 주막집에 황기 냄새가 코를 찌르고 안주는 보리굴비다. 여름엔 짭짤해야 해. 황기는 땀을 식히는 보약이다. 꼴 같이 생겼지. 그전에 농사짓던 생각을 하며 음식을 만들어 보았다. 여름에 땀을 너무 흘리면 어지럽다. 기를 돋게 하여 식은 땀을 억제하고 여름철엔 몇 번을 먹어줘야지. 황기주에 삼계탕이다. 황기를 밑에 깔고 토종닭을 넣고 마늘도 한 주먹 넣었다. 갈대잎도 조금 넣고 푹 삶았다. 뽀이얀 물이 제법이다. 황기주도 제법이다. 굴포천 식구들 오세요~

결혼은 숙제다.

결혼은 숙제지. 그래 그래다.

너무 간단한 말 간단하다면 간단하고 어렵게 생각하면 어렵다.

서로를 간단하게 생각하면 오산이다.

남자는 아이다. 존심 상한다고 맏이나 막내냐 중간이냐가 매우 중요하다. 중간이 좋다. 위로 형이 있는가 아래 위로 여자가 많은가도 중요하다. 막내는 저만 위해야 하고 잘 삐진다. 아래 위로 여자들 틈에서 자랐다면 결혼 생활이 매우 어렵다. 혼자 자란 사람들은 고집 세고 독단적인 생각과 욕심이 많고 내가 보는 견해다.

숙제는 하면 그만이나 안 하면 문제인 듯 결혼은 숙제만 잘하면 된다.

인생은 숙제이다.

수수께끼다. 숙제이기도 하다. 어떨 땐 잘 풀리고 어떨 땐 3년만 버티면 그럭저럭 산다. 꼬이고 꼬여도 또 꼬여도 꽁한 건 어렵지만 맹해도 어렵다. 오래가면 안 된다. 부부싸움은 3일을 넘기지 말 것. 내가 살아보니 싸워도 밥 먹어, 밥 차려놓고 밥 먹어~그 말이 나오냐? 고 들 한다. 그냥 훅~던져라. 안 나오지. 속으로는 그래서 나는 맹꽁이다. 맹할 때도 있고 꽁할 때도 있고 맹~꽁 맹~꽁.

서성인다

날 그냥 두었으면 그냥 둔다면 잘 살 자신 있다.

우리 아버지는 날 돈 몇 푼에 팔아먹고

울 사촌 언니는 나한테 상의 한 마디 없이 식모살이 돈을 가져가고

이 집으로 가면 따라오고 양품점에 취직하면

옷을 가져가서 교인들한테 교회에 그냥 주고 인심 쓴다.

나는 어디로 가야 할지 꿈에도 헤메인다.

갈대가 휘날리는 길 잃은 철새 뚝길에서 혼자 걸어간다. 정착지가 없는 길을

산꼭대기에서 나뭇가지 하나 잡고 발버둥 쳐 보지만 깨어보면 꿈이다.

한번은 사촌언니에게 따져 보았다.

나더라 거짓말이란다. 자기가 하나님을 맹세코 불쌍한 너에게 그럴리가 없단다.

나는 하나님도 언니도 버렸다.

아무도 없는 곳으로 가고 싶었다.

산골짜기 다람쥐가 되었다.

장마

비가 오면, 비가 억수같이 쏟아지던 날을 잊을 수가 없다. 늘 상 바쁜 나는 어제 일을 기억 못하고 엄마 한번 부를걸 두 번 불러야 알아듣는다. 머릿속엔 온통 다른 일들이 차지하기에……

엄마 유치원 방학이에요. 나를 흔들며 말했는데 이튿날 까맣게 까먹었다. 아침 출근 전에 가방을 매고 유치원에 안 가려 하는 딸을 우산도 없이 보내고 억수 같이 쏟아지는 비를 맞으며 청천동에서 부개동까지 걸어서 출근을 하고 11시쯤 전화가 왔다. 옆방 세 들어 사는 총각이 마침 아이스크림 차가 쉬어서 집에 있는데 창문 넘어 대문 앞에 딸이 울고 있다고 방에 들어 오래도 안 들어오고 그제야 아 유치원 방학이랬지. 유치원 안 가려 하다가 볼기까지 때리며 정섭이네 갔다가 유치원 가라며 소리 지르고 딸은 벌벌 떨고 갔지. 그 당시 카드도 없고 겨우 버스토큰이 가방에 있었다. 집에 와 보니 부들부들 떨며 문 앞에서 나를 보더니 울어댄다. 엄마 잘 참았지 나. 울지 않았어요. 우산을 잊어버려 혼내주려 우산을 숨겨 놓고 그냥 보낸 게 가슴 아프고 참는 게 이골이

난 딸이 마음 아팠다. 따뜻한 물로 씻겨 주지도 못한 체 물
김치에 밥을 차려 놓고 옷만 갈아 입힌 체 일터로 갔다. 나
는 고운 딸의 눈만 보고 귀하디 귀한 딸은 내 눈만 보고 커
갔다. 키가 작아 대문을 못 여는 딸에게 벽돌 몇 개를 대문
옆에 두고 목에는 열쇠를 달고 뛰어 놀다가 열쇠를 잃어버
리면 혼날까 봐 하루 종일 비를 맞으며 장마 통에 기다리던
딸 아이를 생각해 본다.

비 오는 날에 가슴은 아팠지만 생계가 우선이었기에 눈물을
삼키며 아이는 커갔다.

장마

우리 딸내미 초등학교 2, 3학년쯤 맹꽁이가 교통사고로 1년을 병원에 입원해 있었다. 퇴근 길에 딸 친구 예솔이가 뒤따르고 저녁까지 먹고도 집에 가지 않는다. 예솔아~집에 가야지. 하자 엄마가 여기서 자래요. 너무 매끄럽고 예쁜 예솔이지만 자고 가는 게 달갑지 않았지만 쓸쓸한 내 딸과 잘 놀기에 잘 해주었다. 잠시 후 예솔이 엄마인데 예솔이 좀 하루만 재워달라고 전화가 왔다. 이모 집이 지척인데 왜 그럴까? 이모와 여행을 갔단다. 둘을 씻겨 재우고 잠을 자는데 꿈에 창문가에 죽은 새끼 돼지 두 마리가 있었다. 깜짝 놀라 깨보니 새벽 두 시였다. 이게 뭐지? 또 잠을 청하니 잠은 안 오고 어제 저녁 텃밭에서 상추를 뜯는데 이가 통째로 내려앉은 느낌이 들어 턱을 고였다. 아침에 잠을 못 자서 인지 기분이 안 좋아서 남편 출근에 입이 나와 있고 에라~아침 안 먹어 하며 평상시 보다 20분 일찍 나갔다. 아이들을 깨워 밥을 먹이고 출근하려는데 전화가 왔다. 허~흑~자기야, 나 사고 났어, 나은 병원. 뚝 끊겼다. 택시를 타고 병원에 가니 머리만 남고 안 움직인다고 한다.   계속 대 수술에 뭐에 가족도 시댁도 없는 나는 방방 뛰며 다녔다. 그 와중에 예솔엄마가 찾아와 하는 말이 가관이다. 우리 딸이 재수가 없어요. 미안해요. 쟤를 낳고 되는 일이 없고 아빠도 그렇게 됐어요. 란다. 그 말을 듣는 순간 화를 냈다. 아줌마 자식을 그렇게 말하는 엄마가 사람이냐고. 설사 그렇대도 그런 말을 할 수 있느냐고. 어디 가서 물어보면 재수가 없데요. 산길에서 날 봐도 모른 체 하라고 소리 질렀다. 쟤가 설사 예솔이가 집에서 자서 그런가 봐요. 라고 하더라도 엄마가 그러면 돼요. 친엄마 맞냐고 소리 지르고 사주가 안 좋은 아이는 불공을 드려주고 빌어줘라 말했다. 나는 예솔이 놀러 와도 기꺼이 놀게 해주었고 그 후도 예솔 엄마는 귀한 딸을 못 본 척 했다. 그 후 남편 병원에 음식을 해 나르며 비 오는 날에 설사병이 나서 버스에 아이를 두고 내려 교회를 찾아가 문을 두드린 적도 많았고 글을 아는 내 딸은 아빠 있는 병원을 찾아가 엄마가 갑자기 말도 없이 버스에서 뛰어 내려 사려져서 나 혼자 병원에 왔단다 칭찬해 달라며 웃던 딸 아이 생각이 납니다. 비가 오는 날이면 잊을 수 없는 일들이지요. 성질 급하고 장마 통엔 배탈이 잦았던 때를 생각해 봤답니다. 옛 추억은 지나면 아름다운 추억이 되는 것 같아요. 나를 기억하는 것들을 울 맹꽁은 기억에 없다네요.

장마 통에

전라북도 안천면 장안리 898번지 지금은 사라진 개울가에 폭우가 쏟아지고 고단했는지 아침에 깨어 보니 강아지는 마루 위에 앉아있고 신발도 그릇도 사라졌다. 비는 억수 같이 쏟아지고 항아리랑 신발짝은 굴러다니고 나무 한 다발은 물에 젖어 밥을 하려고 옆집 엿장사네 집에 쫓아가서 나무 한 다발 빌려 달라니 그 집 남자가 잘도 나무하겠다. 안 된단다. 윗집에 가니 한 다발 가져가란다. 재를 손으로 긁어내고 불을 붙여보지만 불이 안 붙어서 겨우겨우 아침을 먹고 닭장을 가보니 닭 일곱 마리가 물이 차서 죽어 있고 세숫대야 하나 건지지 못했다. 이장과 동네 사람은 찾아와 타작해놓은 밀 보리도 떠내려가고 하니 국수랑 밀가루를 면사무소 가서 타가란다. 반가운 마음에 차비를 빌려 부남면 사무소에 갔다. 내 나이 30살도 안 되니 애기지. 면사무소 문을 여는데 삼촌 친구가 앉아있었다. 동네 사람 몇몇을 부른다. 수급자 영세민 이름을 내 이름을 부른다. 고개를 돌리지만 네가 여기 왠일이냐고 삼촌 친구가 말한다. 그 길로 그냥 집에 왔다. 영문을 알리 없는 그 왠수가 집구석이 왜 이러냐고 다그친다. 국수는 어쩌고 배고프다고 밥 달라고 며칠을 투전판에 있다 와서 비가 왔는지 살림이 물에 떠내려 갔는지 모른다. 나는 억장이 무너져 할 말이 없다. 아이들은 내 얼굴 한번 아비 얼굴 한번 보다 잔다. 밥을 굶으면 잠도 안 온다. 창피하여 국수 2관가 밀가루 한 포를 가져오지 못 함을 후회로 남지 만 남편 이름 영세민을 부를 땐 기가 찾다. 나의 현실이 나 는 이 딱지를 벗을 것이라는 각오 아래 매일 매일 10여년을 하늘과 구름과 바람과 해와 달께 기도 했다. 빈 방에서 다리 가 부러져라 사방팔방 절을 했다. 하늘은 날 버리지 않았다. 나는 여장부로 성공을 하리라.

백중 49

오늘은 음력 5월 26일 49재 입재하여 회양하는 날이다. 나의 조상은 32분이고 1년에 한번 한꺼번에 천도제를 하는 날이다. 지옥문이 열려 천당으로 가는 날이다. 내가 알기로는 그렇다. 얼굴을 아는 자도 있고 모르는 자도 있다. 내 이름을 기억하는 자도 있는가 하면 모르는 자도 있다. 내가 기억하면 되지 그리 중요하지 않다. 돈이 많아야 조상을 돌보는 건 아니다. 있는 돈에서 쪼개고 쪼개면 나온다. 그 날을 잊어 버릴까봐 몇 개월 전에 신청하면 된다. 밤새 조상과 함께하는 밤이다. 단 한번이라도, 한번쯤은 내 생각해 줄까? 내가 죽어 이 세상 떠나면 누가 날 생각이나 하여줄까.

조상

올 때는 마음대로 왔지만 갈 때는 허락이 있어야 하나, 그도
아니다.

기억하고 보냄은 아쉬움을 남기고 지나면 그만 저만.

늘 상 생각하기엔 머나먼 당신들이 오늘 밤에 함께 한 시간
을 기억이나 하려나.

극락왕생 비옵니다.

내가 할 수 있는 건 여기까지니 더 이상에 욕심을 부리지
마세요.

조상님 전 비옵니다.

가는 세월

비바람이 싱쿵 생쿵 몰려와도 살짝쿵 윙크하며 봄은 왔건만
슬며시 빠져서 되돌아 가는 여름은 장마를 몰로 와도
몰아냈던 봄꽃은 삐졌나 보다.
가버렸네.
슬며시 큰물에 삼켜버린 들꽃은 다시는 볼 수 없기에
멍 때리고 걸어도 오라는 자 없네.

비 오는 날에

비 오는 날이면 괜스레 눈물이 나요.

비에 온 몸을 적셔도 눈물을 적셔도 후련치 않고

비에 두 볼을 적셔도 보이지 않고

떨구던 잎새마저도 떨군 고개만큼만 같아라.

개울가에 돌 뿌리 위에 청승스럽게 서있는 저 새는 눈을 감고 비틀비틀

맞아도 괜찮은지 꼼짝도 않네.

출근 길에도 퇴근 길에도 그 자리에 망부석이 되었나 보다.

참사랑

사랑은 두려움일까 욕심일가
망설임도 욕심이다, 아니다, 기다.
사랑할 때는 두려움도 버려라.
욕심도 깔려 있으나
착각도 욕심도 가지고 있으면 사랑은 따르지 못한 체
도망 가 버리고 쓸쓸히 홀로 죽어간다.
거침 없는 사랑과 헌신적인 사랑이 후회를 만들지언정
참사랑을 하였기에 기쁨도 맛 볼 자격이 있으이.

우울한 날에

가까스로 추스린 마음은
허무함에 묻으려 하고
멀어져 가는 그림자에 마음 아파라
토닥 토닥 토닥거려도 출렁 다리는 출렁댄다.
삐그덕 삐그덕 물레방아는 돌아가고
곡식에서 돌을 고르듯 마음도 돌 고르기를 하나보다.
끄덕이는 걸 보니.

장날에

- 베스를 사오고

2일장 7일장 고사리 3근을 무주장에서 팔았다. 50,000원이 주머니에 들어오고 만지작 만지작 만지며 시장을 돈다. 강아지 한 마리가 눈에 들어오고 세퍼트 종이란다. 한 달된 것이 까맣고 이쁘다. 보리쌀도 사 야하고 아이들 신발도 사야 하는데 깍지도 않고 예쁘다고 5만원에 샀다. 노름꾼 남자는 만져서 터트릴 기세다. 사람 먹을 것도 없는데 짐승 줄 게 어디 있느냐고 베스를 버리란다. 아궁이에 숨겨놓고 커가고 밥을 주지 않아 죽은 쥐를 먹는다. 배가 고픈가 보다. 겨울이 오고 새끼를 5마리 낳았다. 이름을 베스라고 부른다. 검둥이다. 배가 고프고 젖이 안 나오는지 밥을 주면 새끼가 달려드니 새끼를 물다가 노름꾼에게 맞아서 다리도 절고 일어나질 못한다. 밥을 주면 죽을 줄 알라며 물 한 모금 못 먹은 베스는 말라가고 3개월을 굶었다. 밥을 몰래 주다가 나도 맞았다. 그렇게 베스가 죽어가는 걸 보지 못하기에 개 장사에게 베스를 돈도 안받고 보냈다. 개 장사가 안 가져 간다 하여 제발 가져 가세요. 더는 못 보겠어요. 하여 베스를 못 본

체 마지막 인사도 하지 못 하고 떠나 보냈다. 모랭이 돌아가는 철창을 보는데 눈이 마주쳤다. 나는 그 모습을 잊을 수가 없다. 꿈 속에서도 잊지 못하고 앙상한 그 모습을 지울 수 없다. 다시는 개를 키우지 않으려 했고 40여년이 지난 일로 지금도 가위에 눌린다. 물 한 모금 줘서 보낼 걸, 베스야 미안해. 사과를 천 번 만 번 하지만 대답은 없고. 우리 구찌를 키우지 않으려 했지만 정 주지 않으려 했건만 뺀질이 딸이 데려오자 하여 같이 살고 있다. 베스에게 미안한 마음을 구찌에게 담아 잘 해주지만 베스를 잊을 수 없다.

꿈

달과 함께 놀다가
별과 함께 잠들고
꿈속에 하늘은 맑고 맑고 밝다.
낮에는 손발이 얼고 매맞아 피투성이가 되어도
맑고 밝은 꿈은 하늘은 드높다.
꿈은 꾸지 말아야지 하며 자지만 새벽에 깨운다.
피곤해 지쳐서 못 일어나면 꼬집는다.
누가? 작은 엄마가.
슬며시 엄마를 불러본다.
올리 없는 엄마를.

임학동 벗들아

창구, 진구, 준영 엄마들이 보고 싶은 하루이다.

하늘이, 유리, 송이, 병학이, 준일이도 잘 있는지.

임학동 시장 옆에 아줌들이 옹기종기 모여 앉아 놀던 때가 그립습니다.

이사들 다 가고 아~쌀집 송이네 영숙이네만 마을을 지킨다지.

계양산 정기를 받아 울 내 딸 맹꽁이 태어난 집이기에 더욱 애착이 가고 포도 나무 심어 놓고 나무 밑 화단에 김장독을 묻어 놓았었지. 예로부터 계양산은 명산 대천이라 정기를 받아 울 딸내미가 이쁘지. 산세에 따라 사람의 성품을 알 수가 있단다. 두 아들은 대둔산 자락인 충남 금산 하옥리에서 태어났다. 3년 머물렀던 곳에서 그러고 보니 명산 대천에서 낫지.

보고싶다. 빨리와

아이 셋이 태어났네. 다행이다.

아이들을 만나면 내가 어린 시절에 엄마에게 들어보지 못했던 이야기를 우리 아이들에겐 어린 시절의 이야기를 잘 들려준다. 철 없던 시절이지만 척박한 환경에서 살아남길 바라며 지난 날들이 잠시 내 생각에 머물고 좋은 이웃과 비가 오는 날이면 명구, 창구, 진구, 하늘, 준영 엄마들하고 차를 한잔 하고프다. 창구엄마야, 따뜻한 커피 한잔 하지 않을래~

인연

헝크러진 인연의 끈은 바로 잡지 못하고 늙어버린 체 기로
에 서있다.

사랑했던 그 사람을 멀리 보내고 끝없는 방랑길에서 헤메이
다가 먼 산을 본다.

이래선 안되겠지. 돌이킬 수 없는 일들로 내 마음 사로잡고
가슴 속에 묻어둔 사랑은 커져만 가고 꾸지 못하고 시들어
버린 꿈도 커져간다.

이 길인가 저 길인가 헤메이다가 가까스로 기억해 낸 생각
이 멍들어 가도가뭄에 짚신을 엮는다.

먼 산에 아지랑이 날 오라 하지만 따르지 못하네.

할 일이 있기에.

괜스레

공연히 스산한 바람이 불어와 내 마음 흔들어 놓고
울적했던 마음을 어찌할고
괜스레 울컥했나 보다.
가치 없는 시간 속에 잠시 머물렀던 가슴에서 안겨 울고 파
라.

감정

드문 드문 피는 꽃도 꽃이런가
스믈 스믈 올라오는 물안개 되어
늦깎이 사랑은 싹이 트이고
저물어 가는 황야에도 말은 달린다.

그리움

뜨거웠던 그 사랑도 모두가 거짓이었나.
억지로 억지로 감춰났던 일들이 잠시 스치는 바람결이었나
내 마음 나도 모르게 달려가고프다.
그 누구를 향한 마음이기에
이토록 가슴 아플까.

이별

괜스레 떨쳐냈나 보다.

공연히 잎을 떨구고 가지만 남겨보지만

흉한 바람은 가지를 떨게 하고

몸조차 얼어버리고

옆 나무에게 힘을 빌려 보지만

떨군 잎새만 못하이.

사뭇 그리운 마음에 애써 새싹을 틔워 보지마 때는 늦으리.

고목

메말랐던 고목에도 물은 오르나 보다.
왠지 비 오는 날이면 같이 울고 싶고
천둥이 치는 날에는 가슴에 안겨 울고파라.

상할매

내 상할매는 눈동자가 머루처럼 새까맣게 예쁘셨지. 키가 작으만 하니 어찌나 부지런하던지.

집 안팎이 반들반들 먹을게 지천일 정도로 보물을 여기저기 숨겨 놓고 내 손목만 잡고 다니시며 보살펴 주셨다. 아마 내 나이 8살때쯤 돌아가셨지. 며느리가 게을러 손주 여섯에 손녀 하나 위로 다섯이 죽었다고 늘 상 아프다던 할매를 두고 할부지와 밥을 해서 드셨다. 이야기를 좋아하고 풍류를 즐기는 할매는 마실을 잘 다니고 책을 옆에 끼고 다니셨다. 할배는 산과 들을 누비고 만주 벌판에 일본 다녀오신 이야기를 나에게 들려 주시고 다 큰 나를 업고 개울을 건널 때면 억센 손으로 얼굴을 씻어주며 하시는 말씀 중에 왜 그리 이쁘냐 너는 할매집 식구를 닮았나 보다. 할매 친정에는 양귀비 버금가게 이쁜 사람이 대대로 나온단다. 할매 여동생은 참 아름다웠지. 내가 본 사람 중에 최고의 미인이다. 장모님은 이북에서 최고 미인인 미인도에 나오신 분이지 하시며 나를 만지셨다. 우리 집안에는 네가 이쁘다. 우리집안에는 장군이 나오기도 하고 장사가 나오기도 하고 옛 선조때는 축지법을 쓰는 도사도 있었단다. 예사로운 집은 아니지. 전주 최씨 판사공파하시며 즐거워하셨다. 장날에 장에 가시면 할배는 명태 몇 마리를 새끼에 매달고 오셔서 김치 넣고 쌀뜨물에 끓여 온 가족이 먹던 시절 새우젓을 사오셔서 밥 지을 때 호박을 양념하여 쪄 먹던 시절이 생각난다. 상할매의 살림솜씨를 물끄러미 바라보며 어린 나는 배웠다. 돌아가시고 내가 안살림을 맡았다. 할배가 가르쳐주고 불에 데이고 끓는 물에 데이고 칼에 베이고 낫에 잘리고 하면서 상할매의 가르침을 생각하고 객지에 식모살이 떠날 때까지 살림을 했고 상할매의 목에서 토하면 마루에 지렁이가 뒹굴고 망녕에 소대변을 방과 마루에 보셔서 세숫대에 물 떠다가 집 수세미로 닦아내고 재를 떠다가 닦기도 했던 생각이 난다. 누구에게 하는지 상할머니는 망녕나면서 부터는 공알 뺄년을 들먹었다. 나중에 알고 보니 울 할매에게 하시는 말씀이다. 자녀를 많이 두고도 게을러 시어머니가 힘들었을 생각을 하여 본다. 상할매가 떠나고 묻어놨던 비밀 보물들은 하나씩 없어지고 할배가 떠난 후 쥐구멍이 휑하고 집안은 찬바람만 불었고 소와 돼지도 사라지고 산은 큰아버지가 가져가고 논과 밭도 줄어갔다. 산판을 하던 울 아배도 순천댁 새엄마를 만나 소식이 없고 그렇게 썰렁한 덕유산은 몇 년에 한번씩 가게 됐지. 오늘은 재술의 전화로 고향이 생각나는 하루이다.

못난 사내

오늘밤에 못난 사내가 보고프다.

이도 저도 못하고 멀그러미 바라만 보던 모습이 떠오르면

어쩌냐 어쩌라고

나는 못난 사내가 싫은데

몇 년을 봐도 내 사랑

몇 번을 봐도 내 사랑

욕심꾸러기 내 사랑은 기다리지 못하고

돌다리는 부서졌다네.

가시

접으려 하면 아니 접히고
삼키려 하면 아니 넘어가고
목에 가시가 되어 박혀있다.
되돌릴 수 없는 일들이
목에 가시 되어 꽂혀 속을 썩이고
곪아 터지길 기다리지만 곪지 않고 속 썩인다.
나를, 요놈에 가시가.

당산 나무 아래서

정복아 꼽추 춤 추어봐.

나는 다리 병신 춤을 출게.

복남아 애기 업어봐, 응애 응애 울어봐.

달밤에 어른 흉내 내며 개다리 춤을 추고 그림자 벗삼아 놀
았지.

순자 언니네 주막집에서 그치 그치.

할매 옷 훔쳐다가 긴 옷 소매가 귀신이라며 흔들어대기도
하고

키가 크고 싶어 나막신을 질질 끌며 놀던 때가 그립구나.

잠꾸러기 재술은 집에 가자고 조르고 봉구오빠가 꼬마 머리
채를 끌고 갔지.

60년이 지나버린 일들이 왜그리 생각나냐구요.

이제 늙었나 보다. 자꾸만 옛날이 그리운게.

그땐 그랬지.

핑계

요 핑계 저 핑계 대다가 무지개 다리가 사라지고
아이고 빨리 건널걸 즈~즈 물길 따라 꽃잎 띄운 그 편지는
보지 못한 체
날 저물고 목마른 객은 주막집에 불 꺼진걸 이제야 알지만
때는 늦으리.

가슴앓이

- 엄마생각

귀뚜라미 귀뚤 귀뚤 울어대던 밤

소쩍새 구슬피 울던 밤에 새벽녘 백로가 울던 밤엔가

밤새 귀앓이에 잠 못 이루고

엄마를 그리다 잠이 들었네.

구름 위에 떠 있는 엄마, 엄마는 흩어지는 구름 사이에 먼지
되어 사라지고

슬픈 얼굴을 바라만 보았지.

백로가 된 나는 뒤따라 가보지만 하이얀 기와집으로 엄마가
들어가고 문을 닫아버렸네.

담 넘어 날아가 엄마 머리에 앉아 보지만 손으로 탁탁 쳐내
는 엄마는 알 수가 없었다네.

뒤돌아 올 수 밖에 없는 길에서 떨구는 눈물은 비가 되었네.

어리광쟁이 할매

울 할매는 언네다, 언네. 할배만 보면 누워 뒹군다. 멀쩡하니
놀다가 할배만 보면 에고 아이고다. 가족들은 밥 한끼 먹기
조차 어렵다.옛날엔 쌀이 귀하고 귀해 어른만 쌀밥 뜨고 나
머지는 감자 반 고구마 반으로 큰 주걱으로 치대서 펏다. 쌀
밥을 드시고 싶은 할매는 응석을 부리면 입맛 없다고 오늘
굶어야겠다고 밥만 가져가면 드러누웠다. 눈치 빠른 할배는
그 밥을 못 드시고 반을 남긴다. 다 드셔도 배고프실터인데
일하러 개울을 만나면 한없이 물만 들이키고 할배가 밥수저
놓고 일어나 나오면 할매가 슬며서 일어나서 할배 밥과 당
신 밥을 다 드신다. 나는 생각에 잠긴다. 남편 마음을 저리
모르고 당신은 방에서 놀면서 힘들게 일하고 온 할배는 밥
한끼 마음 편히 못 드시고 삼촌들은 먹는 둥 마는 둥 밥 한
끼 먹기 힘들게 하고. 할배가 돌아가시고 막내 삼촌 밥을 못
해줘서 굶고 학교에 가고 나는 집에 없고 가끔 시골에 들르
면 삼촌은 책가방 울러매고 큰엄마집에 뛰어가서 아침을 먹
고 차비가 없어 버스비 30원이 없어 뛰어간다. 그 30원을
나는 꼬깃 꼬깃 감춰놨다 몇 번을 내주었다. 내가 커서 어른

538

이 되면 남편의 마음을 헤어련다 했지만 잘 모르겠다. 나도
응석받이인걸~

꽁이네 주막집

맹꽁이 주막집에 향긋한 망개 냄새가 난다. 우째 토봉용주를 맹한 맹이가 담궜다.

뜰뜰한 맛이 나서 그렇지 여름엔 잘 쉬지 않으므로 괜찮다. 혈관에 좋지, 당뇨에도 좋고. 약간 불그스레 하니 색도 예쁘다. 위염에도 좋다. 하는 김에 망개 식혜도 해 보았다. 막걸리를 사카린을 타서 마셨던 어린 시절을 생각해 본다. 술찌 겅이에다 사카리 타서 부뚜막에 놓으면 부글 부글 하면서 맛있었다. 과자가 흔치 않았기에 그게 맛있었는지도 모른다. 술에 취해 비틀거리고 생쥐도 비틀거리다 강아지에게 잡혔지. 맹개는 지천에 널려 열매와 잎을 우리에게 선사하기도 한다. 토봉용은 예전엔 거들떠 보지도 않았다. 잎을 따서 송편 찔 때 같이 찌면 쉬지 않는다 하여 추석 때 소코리 내어 주며 할매가 망개잎과 솔잎을 따오라 시키면 망개잎은 관심 없고 깨금 따먹는 재미에 푹 빠져 살았지. 작은 나무에 깨금은 왜그리 맛있었누. 돌로 깨어서 먹으면 통통한 살이 텁텁 하며 맛있었지. 고소하고 꼬소하고 아~깨금 먹고싶다. 날 밝으면 산에 가야지. 아직 깨금이 안 익었으려나. 망개식혜도 시원하니 맛있지. 내 생일 때 할매가 해주셨지. 나는 내 생일이라고 조르고 졸라 찐빵을 해달라 조르고 코고무신 사달라 떼 썼지. 음력 8월 4일이지. 그때 맛난 것 해먹자.

고추 잠자리

고추 먹고 맴맴
담배 먹고 맴맴~
노래를 불러본다.
붙어라, 붙어라. 손가락 세우고 잠자리 모으다 뒤로 넘어져
엉덩방아를 찌어도 그때가 그리 좋더니. 빙그레 웃던 꼬마도
싱글벙글 웃던 점남이도 이제는 가고 없는 옛길에서 불러보
는 동무들 이름은 입가에 맴돌고 고추잠자리 머리 위에 헤
메이다가 어깨에 앉았네. 내 어깨에
고추 먹고 맴맴.

바람이 분다.

이 더위에 바람이 없었다면 님 없는 거리를 혼자 거니는 기분.

구름은 해를 가리려 애를 쓰고 뜨거운 태양은 힘껏 뽐낸다.

그렇게 여름이 익어가고 장마가 끝이 나려나.

폭우가 쏟아져 굴포천은 하마가 쓸고 갔다.

온갖 꽃들이 사라지고 풀들이 납작 엎드려 절을 한다.

꽃들이 없는 이 거리를 생각을 말자, 말자구~

비스듬이 누운 갈대가 장관이다.

넌 뭘 해도 멋지냐~

장마통에 하루살이와 날파리가 사라졌네.

나의 할배

갑자기 세상을 뜨시고 할배의 깊고 깊은 눈망울을 볼 수가 없었다.

맨날 천날 자식은 겉으로 이뻐하면 버릇 나빠진다. 속으로 이뻐해야지. 하시면서 나는 이쁘단다. 어여쁘단다. 지게에 장작을 다리가 벌벌 떨릴 때까지 지신다. 아침을 드신 둥 마는 둥 뜨시고 해가 중천에 뜨면 벌써 설천이다. 아들네 집이다. 은주네 작은집 살짝이 정지에 내려놓고 살짝이 오신다. 나는 어깨를 만지는 할배를 본다. 피멍이 든 어깨를 옷을 걷어 만지신다.

양색시

나는 지금 잘 살고 있는가? 나에게 묻고 싶다. 너는 지금 잘 살고 있는가?내 나이 17세 꽃다운 나이에 울 아버지 사촌 누나인 헨생아제 엄마가 나에게 말하기를 옥남아, 네가 친정을 살려라. 네가 헌신하여 너의 삶을 포기하면 친정 동생들이 잘 살며 아버지도 잘 살 것이다. 서울 미군부대 앞에 양색시촌이 있다더라. 누구네 딸내미는 돈을 그렇게 잘 벌어 친정에 논도 사고 집도 사고 동생들도 학교에 보내다가 지금은 미국 가서 산다더라. 코쟁이한테 시집 갔데. 돈을 그렇게 많이 보내서 좋아 죽는다더라. 내가 객지로 떠돌 때 아줌마들이 하는 얘기는 다 해도 창녀는 되지 마라 했는데 이 아줌니는 왜 그러나하며 서운 언니가 지나가기에 여쭤봤다. 언니 양색시가 뭐야, 저기 아주매가 나에게 양색시되래 말해 준다고. 절대 하지마라, 그게 어떤 일이냐면 돈을 받고 남자하고 자는 거야. 애도 못 낳는데, 술 담배도 먹어야 하고 차라리 그렇게 살 바엔 죽는게 낫다. 나는 결심했다. 울 아배가 날 거기에 데려간다면 혀를 깨물고 죽으리라. 이튿날 고향이라고 다시온 나에게 또 묻는다. 내가 주선해줄게. 양색시

안될래? 아니요, 지금의 생활도 힘들어요. 그럴바엔 죽을래
요. 빨래터에서 이튿날 소문이 났다. 옥남이가 당돌하다고.
남의 인생을 가지고 노는 동네 안 가길 잘했다. 아낙들이 미
웠다. 자기 딸이라도 그렇게 말했을까? 나는 잘한 것 같다.
그렇게 살았다면 어떤 몰골일까? 거기서 사랑을 하여 결혼
을 하였으면 과연 행복 했을까 싶다. 아마 그런데서 살았으
면 지금의 나는 볼 수 없을 것이다. 몸이 약하기에 술 담배
는 안 하는게 좋았을걸, 문득 생각하는 밤이다.

나 어릴 적에

화전밭 귀퉁에 다래가 살이 오르고 안방재 터줏대감인 머루가 익어간다.

외갓집 가다가 길을 잃고 헤맬 때 울음 그치게 하는 울음이 입을 벌리고 놀려대며 웃는다.

떡 벌어진 울음이 손에 잡힐 듯 아니 잡히고 애기가 나무에 올라 울음 먹다가 동생이 목에 덜커덕 걸리네. 고무신에 울음 넣어 뒤돌아 오는 길에 맷돼지 날 살려라 신발이 도망가고 멀리서 할배가 날 부르는 소리에 메아리 힘차게 날 오라 하네.

사거리 주막집

맹꽁이 바쁘다. 아궁이에 장작 불을 집힌다. 날이 궂은 날은 묵은지 국이다. 삼 년 묵은지에 육수를 넣어 돼지고기 듬성 듬성 넣어 들기름 한 수저에 득실 득실 볶아서 끓였다. 쌀뜬 물에 집간장으로 간하고 술은 술이다. 포도주를 담았다. (머루는 익지 않았기에) 된장에 넣었던 무우 짱아찌를 짠 물을 배고 들기름에 볶았다. 호박잎도 쪄서 놓았다. 오늘은 아침부터 날굿이 하는 자들이 많다. 대장간 수달 공장장은 고래고래 소리지르고 청천리 산양할배는 왜저래 시끄럽지만 생배추 부침을 해본다. 옛날에 할매가 잘도 드셨는데. 나는 잘 먹는다고 듬북이 난리다. 에그 맹꽁은 술 취해 나무 위에서 떨어졌다. 주막집이 난리 난리다.

연

날 듯 날 듯 날다가 바람을 타지 못한 체 연은 이네 날지
못 하고 주저앉는다.
바람을 향해 또다시 날려 보내려 애를 쓰지만
몇 번이고 실패를 하고서야 창공을 나른다.
인생도 그러하듯 바람에 날개를 실어본다
창공을 향해.

숙부
- 그땐 그랬지

매질만 하던 숙부가 어느 날 오막살이 나의 집에 왔다. 우리 동네 선생님으로 왔단다.

초코파이를 사가지고, 우리 왠수는 술에 취해 일어나지도 못한 체 전 재산인 참깨 1되와 고추 10근을 주어 삼촌께 보냈다. 지금 생각하면 참 잘한 것 같다. 그래도 우리집에 온 손님이고 그 이후로도 만삼과 인삼을 조금 나눠드리기도 하고 하도 생활이 어려워 전주 살 때 찾아가 취직을 부탁하기도 했다. 그러나 도움 받은 적 없다. 나는 속이 없는 건지 철이 없는지 모른다. 그냥 잊었다 하고 싶다. 짓밟힌 잡초는 안다. 밟은 자는 모른다. 오직 잡초만 안다.

기대

자녀에게 많은걸 바라지 마라.
자랑도 마라.
자녀는 이미 할 도리를 다 했다.
언제 어디서?
태어나면서 기쁨을 주었고
자라면서 행복을 주었기에
그들은 다 했다 한다.

생각나는 사람

좋은 이웃을 두는건 천하를 얻는 것과 같다.
나쁜 이웃은 불씨의 씨앗이다.
세월이 흘러도 보고 싶은 이웃이 있다.
나이와는 상관없다.
오늘은 파전에 막걸리 한 잔 하고픈 날에
창구할멈 생각이 나네.
언제나 부르면 달려갈게, 놀러와, 친구야.

성공

성공했다고 느낄 때 이 세상은 끝난다.
이만큼이면 된다 할 때 이제 이 세상을 마감할 때가 된거다.
아직 성공하려면 더 남았는데
그건 살아야 할 이유다.

삼촌들

삼촌, 삼촌은 많다, 많아.
하지만 글을 가르치거나 좋은 말을 하며 나를 대한 삼촌은
단 한 명도 없었다.
오히려 여자는 공부를 하면 뭣하나 했다.
핸생이 동생은 집에 오라 하여 글을 가르친다.
나는 마루에 앉아 방에서 흘러 나오는 말을 귀 기울여 더하
기 빼기 어문을 배운다.
나를 보아주는 이도 내가 있는 것 조차 모른다.
내 마음은 낙엽되어 흩어진다.
또 어느 고을로 돈 몇 푼에 팔려갈지, 집시되어
이 밤에 갈기 갈기 찢기운다

금산장

7일, 12일 장이 무주하고 진안 금산 장날이다.

여름 내내 수확한 참깨 한 가마니는 장마통에 하기에 손이 많이 가고 그야말로 참깨 한 가마니는 쌀 10가마니 산다. 왠수하고 둘이서 두 군데 나누어 팔았다. 수입산이 없을 때라 비싸다.

80만원 받았나. 40년 전일이다. 그 날 밤에 노름해서 날렸다. 조세내 집에서 장날에 참깨 팔아서 돈 있다 소문 듣고 꾼들이 모여 밤새 놀았단다. 참깨를 농사 지으려면 수확이 나지 않아 이천평 정도 해야 한 가마니다. 집에는 깨소금 맛도 못 보고 장에서 오는 길에 짜장면 두 그릇을 먹고 오는 차에서 비싸다고 궁시렁 댄다. 양파 몇 개에 고기 몇 점인데 1,200원이라고. 아이들에게 과자를 사자는 말도 못하고 보리쌀 1말 사자고 하니 말이 없다가 그 돈을 날렸단다.

나는 말이 없다.

무주장

언젠가 고사리 10근을 가지고 무주장에 간 적있다.
옆에 있다가 흥정이 끝나고 왠수가 돈을 받는다. 차비만 달
라니 만원만 준다. 만원 가지고 시장을 도는데 아침도 안 먹
은 나를 두고 혼자 칼국수집에 있다. 나는 못 본 척하고 차
에 오르니 왠수가 타고 있다. 왠수가 창 밖을 보고 콧노래를
부른다. 왠수 생각이 먼 곳에 머문다.

실망

한 치 앞도 못 보는 게 사람이더냐.
사랑스런 아기가 이 산 저 산 누비며 허리띠 졸라매고
고사리 꺾고 약초 캐면 배고픈 아이 생각에 안간힘을 다해
나무에 의지하며 행해 온 일들은 물거품이 되어 사라지고

이혼을 하다

그렇게 그렇게 살다가 살다가

제발 이혼만 하게 해달라고 애원을 했건만

내가 너를 놓치면 내 인생은 끝나는데 왜 너를 보내냐고

너는 평생 나와 함께 살아야 된다고 했다.

누가? 왠수가

객지에 나와 살면 내가 벌어 먹이겠다 하니

이렇게 좋은 동네에서 살거다, 친구들과 동생들이 판꾼이 있기에 하더니

14년만에 이혼을 하잔다. 나를 포기한단다.

왠수가 여자를 데리고 전주에 왔다. 키가 작고 왠수보다 4살이나 많단다.

나는 인천에서 식당을 하다 갔더니 같이 온 여자는 삼유리 다방 레지였다나.

까무잡잡하니 둘은 잘 어울렸다. 동생 병문하고 왔다. 왠수가 말한다.

네가 벌어서 산 논은 내가 가지고 애들은 내가 보살핀단다.

네가 사놓은 집이 길이 나면서 33년전 삼천 만원이 나왔단

다. 그 돈도 못 주고 너는 몸만 나가란다.

나는 다 가지라고 했다. 아이들은 잘 돌봐주라고 하고 그렇게 이혼을 하고 왠수는 3년도 못 되서 풍지박살이 났다. 거지 되어 찾아왔다. 나를 어쩌라고.

후회

선택은 자유지만 이래도 후회 저래도 후회다.

내가 이혼을 하지 않고 아이들하고 살았다면 돈은 못 벌었지언정 아이들은 잘 키웠을 거다.

큰 놈을 유학도 보내고 하고 싶은 그림도 하고 목소리가 고운 두 아들은 성우가 됐지 싶다. 왠수가 훼방을 놔도 아마도 돈도 더 벌었지 싶다.

잠시 후회를 해 본다.

잔칫날

온 동네 회갑이다, 결혼식이다 바쁘다. 하지만 나는 갈 수가 없었다.

아아니 가고 싶었다. 잔칫집에 가서 밥 한끼 때우면 좋으련 만 나는 가지 못했다.

왜냐면 가난한 자가 잔칫집 담벼락을 서성이면 얻어먹으러 왔다 할까 봐서.

우리 아이들은 잔칫집에서 서성인다. 집에 와서 하는 말이 누구 누구 엄마는 그 집에 있어서 밥을 먹었다고 한다. 나는 아무 말 없이 굶었다. 고소한 냄새가 온 동네에 퍼지고 돼지 잡는 소리가 요란하던 곳, 나의 사연은 그렇게 묻었다. 잔치 가 있는 날엔 부주만 보내고 산과 들로 갔다. 소리소리 지르 며 노래를 부르며 약초를 캤다. 시간은 내 가슴에 영원히 묻 었다.

번뇌

가시 돋친 말은 가시로 남지 않는다. 못으로 남는다.
가슴에 꽂힌다. 송곳 되어.
널뛰듯 뛰던 성정도 바람이 가져가고
긴 한숨은 저 산이 덮었다.
가쁜 숨은 세월이 삼켰다.

깊이

뜻이 강가에 머문다 하여
탓하여 무에하리
잎이 되어 푸르거늘
생각이 허공에 머문다 하여
탓하여 무에하리
구름 위에 있는걸 알지 못하네.

연인

떠도는 몸이라고 사랑마저도
이 마음 이 뜻대로 하지 못하고
덧없는 세월 속에 깨어진 사랑 잊으려 애를 써도
몸부림쳐도 잊을 수 없는 사랑
내 마음의 연인.

중풍이 오다

26년전 여름에 저녁밥을 먹는데 발에 감각이 없어 젓가락으로 발등을 누르니 아무런 감각이 없었다. 매일 술과의 전쟁을 하며 맹꽁이 속을 썩여 재혼한 지 1년도 안 돼서 중풍이와 오른쪽 반이 감각이 없고 왼쪽 입이 돌아갔다. 한의원에 갔더니 횟병이란다. 그러거나 말거나 그다음부터는 병원도 안 다니고 일만 했다. 영수, 덕구, 상현, 상호 꽁이 애인인 영자 꼽추 밤새 술을 먹고 부수고 때리고 계속 전쟁터에서 살다가 병이 낫나 보다. 안 산다 하면 죽이려 하고 지금도 만신창이가 된 몸으로 살지만 아픈지 뭔지 모르고 산다. 죽어도 이 집에서 뼈를 묻을 생각이다. 남들이 속도 모르고 이러쿵저러쿵도 싫다. 해지는 길목에서 썩어가는 고목이 된 체비바람 맞으며 세월을 보내다가 안간힘을 다해 꽃 피우려다 울고야 만다. 어쩌다 새 한 마리 앉아 속삭여 보지만 냉기 없는 가지에서 날아가 버리고 쓸쓸함에 가지를 떨구어도 찢기고 찢어진 가지는 말라버리고 기약 없는 세월은 기억을 삼켰나. 봄은 아니 오고 고목은 썩어간다.

못 잊어

눈 감으면 떠오르는 네 모습 때문에 잠 못 이루고
점점 내가 미쳐간다.
달려가 안기고 싶지만 멀어져 가는 네 마음 때문에
나는 병들어 간다.

너를 못 잊어

잊으려우 잊으려 해도
마음과는 달리 안 보면은 보고 싶은
오늘도 너를 그리며
내일도 생각에 잠긴다.
뜨거웠던 그 사랑도 가슴앓이로 이것으로 끝나버리고
지우려 지우려 해도 지워지지 않는
너와의 추억에 몸부림을 쳐 보지만
너를 잊지는 못 하겠다, 정녕.

낙동강 오리알

미운 오리 새끼는 어느덧 커서 늙은 할망구가 되고
낙동강 오리알이라고 놀려대던 나와 내 동생은 저무는 해가
되어간다.
이름을 잘도 지었지.
할배 할매가 죽으면 낙동강 오리알이 된다고 하셨지만
낙동강 오리알은 강에서 못 살고 못 깨고 썩어버린다.
하지만 울 둘은 이렇게 살아 숨쉰다.
오리알 되어.

내 신세

시시때때로 그리움을 안고 살다가
바보가 됐나 보다.
멍하니 먼 산을 보고 멍 때리고 걷다가 길을 잃어도
어느새 집에 와 있다.
반길 리 없는 불 꺼진 창은 싸늘함이 맴돌고
방안 가득 뒹구니 뒹구는 술병은 세아리다가 긴 밤 세우네.

나 어릴 적에

낙동간 오리알도 듣기 싫었고
미운 오리새끼도 듣기 싫었다.
한 사람이 헐뜯으면 너도 나도 궁시렁대고
하다 못해 들어오는 사촌 며느리들 까지도 업신 여기고
앉을 곳도 서 있을 곳도 없는 이 세상에
홀로 뜨는 달도 홀로 뜨는 해도 하나이여라.

누 알리

숨기려 애를 쓰면 더욱 생각나고
끄집어 생각하려 하면 가물 가물 기억이 났다, 안 났다 한
다.
생각은 가슴에 머물고 희미한 가로등은 내 마음 알겠지.
서글픈 이 마음을.

존중

가족들 틈에 서면 나는 이름이 없다. 나와 내 동생은 지금도 고모나 삼촌들 입에선 기분 좋으면 우리 조카인가 하고 기분 나쁠 땐 요년 저년 요놈의 가시나 이놈에 지지배다.

허물없어 그런가 하지만 기분이 나쁘다. 버릇이 되었나 보다. 사촌오빠 색시가 있는 자리에서도 사촌들을 부를 땐 누구야 하며 심부름을 시키지만 나를 부를 때는 요년아 이년아 다. 그래서 작은 엄마가 시집오거나 하면 종 부리듯 하고 함부로 대한다. 아무도 나무라는 자가 없다.

어젯밤 고모 전화 통화에서 이년아 지지바 가시나가 오간다. 고모딸을 칭할 때는 우리 딸내미다. 고모 듣기 싫으니 하지 말라 해도 습관이 되어 안 된단다. 키다리 삼촌도 허 요년 봐라, 요놈의 지지베다. 좋은 날도 슬픈 날도 따르는 욕들이 익숙해져 하는 말이겠지만 부모 없는 설움과 함부로 대하는 피붙이 때문에 속상하다. 나는 더 이상 울지도 더 이상 희미한 가로등에 기대어 울지 않으리라 소리친다. 나에게 함부로 하지 말라고.

약속

끈임 없는 그 약속을 잊었나 보오.
날 두고 가실 적에 꽃신 사온다더니
꽃이 피고 새가 울면 오신다더니
늘보리 익어가도 아아니 오고
짧은 매미 소리 계곡을 울려도
메아리는 말이 없네.
대답이 없네.

엄마

엄마, 엄마, 우리 엄마.
뒷동산 산마루 턱에 동굴에 숨어 불러보는 그 이름은 박쥐
의 단잠을 깨우고
잊어질까 잊어버릴까 불러보는 그 이름은 대답이 없네.
대답이 없네.

술빵

삼배 배부재에 넙적 엎드린 뻔뻔한 밀가루 빵은
울긋불긋 강낭콩 옷을 입고 술에 취해 방긋방긋 웃었나 보
다.
불길에 입 모은 김은 쫀득쫀득 김이 오르고
앗 뜨거 엇 뜨거워. 멍석 위에 호호 불며 맛도 있어라.
술빵이.

달밤에

애기 갈대가 익어가다 고개를 살짝 숙였네.
바람에 날리잖아, 멋있어라.
날 보고 웃어봐, 발 보라고.
풀잎에 숨어 날 부르네.
날 부르잖아.
들꽃이
이뻐라, 예뻐라, 귀여워.
저 봐라, 맹꽁이 숨었네, 풀숲에.

늦은 밤 들꽃

가로등 불빛 사이로
하이얀 꽃 노오란 꽃
희미하게 비추다 사라져가고
잎을 달았네, 추운가 봐
바람이 불어와 말랐잖아.
서로가 날리다 날 더 보라고
네가 이쁘냐, 내가 이쁜가 뽐내본다.
들꽃이

꽁이네 주막집

굴포천 사거리 주막집에도 여름이 찾아왔다.

거침없는 꽁이의 입담과 허물 없는 맹이의 아침이 찾아와 아카시아 담금주 막걸리를 내 올 참이다. 안주는 명화잎을 뜯어 살짝 삶아 들기름에 집간장을 넣어 무쳤다. 굴포천에 아카시아향이 바람에 날려 꽃잎 따라 물 따라 맹이가 뛰어 논다. 술꾼이 모이고 흩어져도 밤이면 옆집 두더지 대장간 수달 듬북과 모닥불 옆에 옹기종기 모여 앉아 달밤에 술잔을 기울여 네 설움 내 설움을 엮어간다.

나그네

지울 수 없는 얼굴 하나가 내 가슴에 남아있네.
가냘픈 나그네가 그림자 되어 서 있네.
외로움에 눈물 떨구다 내 눈에 뛰었나 띄었나.
구름에 가려진 모습이 애닲아라.

태교

어르신 둘이 모여 앉아 하시는 말씀 중 아이 가져서는 볼 것만 보고 안 볼 건 안 봐야 된다. 글 공부를 하면 공부 잘하는 애가 나온데, 입덧이 심한 나는 아무것도 먹지 못하고 기운이 없어도 글을 쓰며 뜨개질을 하였다. 친정 엄마도 없고 먹고 싶은 것 많지만 말할 곳도 없고 왠수는 소코리 공장에 가서 일을 하였지만 8개월째 돈을 못 받고 굶어 죽을 지경인데 놀러만 다닌다. 울 아들이 태어나고 순하여 울지 않고 태교도 잘했고 뱃속에 있을 때도 책을 빌려다 읽어주고 태어나서도 늘 책을 읽어줬지만 커서는 책을 보지 않았다. 아이 셋은 손재주가 있다. 뱃속에 있을 때 뜨개질을 해서 그런가 모르겠다. 하지만 똑똑하다. 전교에서 1등이니 말이다.

아이가 커가고

큰 놈은 뱃속에 있을 때 성질이 있었다. 숨이 찰 정도로 기지개도 펴고 발과 손을 손과 발을 가만히 안 두어서 깜짝깜짝 놀랬다. 지금도 성정이 더럽다. 둘째 순하다. 피가 나서 아파도 안 운다. 뱃속에 있을 때 여식인 줄 알았다. 꼼지락 꼼지락 놀지 않아서 걱정을 했다. 하도 힘든 일을 해서 화가 나도 꼼짝 않고 뭉쳐있었다. 참을성이 대단하다, 침착하다. 셋째는 잠투정이 심하고 순하다. 뱃속에 있을 때 잠을 안자고 논다. 꼼지락꼼지락 한군데 가만히 있었다. 아마도 바꼼살이가 좋았나 보다. 착하다. 셋 다 착하지만 심성이 곱다. 냉정하며 사리 분명하다. 아이 셋은 천재다. 별종이다.

귀신 이야기

- 옛날 옛적

옥남아~할매가 부른다.

엉 왜~

너 강디미 쏘 지날 때 물에 가지 마라.

왜?

옛날에 강디미 옆에도 집이 있었단다. 시어머니가 강디미에서 빨래하는 며느리를 미워서 방망아로 패서 죽였단다. 그래서 비 오는 날이면 강디미 물 위에 여자가 떠 있단다. 귀신이 나온다고 하얀 소복을 입고 머리 풀고 둥둥 떠 있단다. 간간히 보이더니 비 오면 그 길 지나가기가 무섭단다. 다른 길이 없기에 절대로 물을 보지 마라.

나는 대낮에도 길을 갈 때 꼭 그 곳을 보게 된다. 요즘은 나무가 우거져도 보인다. 강디미 쏘가 워낙 깊어서 물고기도 많단다. 옛날이나 지금이나 고부간의 갈등이 심했나 보다.

무지개 염색집

갈산천에 사거리에 염색 공장이 문을 열었다. 사장인 맹이가 차렸다. 구찌 엄마라 불리며 바쁘다. 사거리 주막집도 운영하랴 염색공장 하랴 직원은 백일홍 한 학과 천둥이 오리, 까마귀 순사, 까치 형사도 퇴직하고 거든다. 외눈박이 외다리 황새, 두루미 우체부로 퇴직하고 왔다. 배달을 맞았다. 고양이 부부가족 반반이는 다림질을 한다. 갈산천, 천청천, 산곡천, 계양천, 부천천을 돌며 꽃바구니 옆에 끼고 온갖 꽃을 모아 염색을 하며 싸운다. 삶으면 색깔이 죽는다고 싸워 찬물로 담궜다 해야 한다고 싸우고 난리다. 천도 그곳에서 만든다. 직원은 거미다. 거미 가족이 한몫 한다. 공장 뒷켠에는 아궁이가 10개 있다. 양재물을 넣어 삶은 것도 있고 오색의 향연이 펼쳐진다.

도깨비 방망이

옛날 옛적에 할머니가 말씀하실 산골짜기에 큰 기와집이 있는데 밤에만 쿵쿵 장구를 치고 놀아대며 나무꾼이 숨어보니 술 나와라, 뚜당탕 하면 술이 나오고 돈 나와라 쾅쾅하면 온갖 게 다 나오란다. 도깨비 방망이만 있으면 아무것도 부러울 것 없고 나무를 하지 않아도 되지 싶어 도깨비 집에 숨어들어 벽장에 있다가 도깨비들이 또 긴 막대기를 두들기며 금 나와라 뚝딱하니 금은보화가 쏟아져서 다락에 있던 나무꾼이 깨금을 입에 물고 꽉 깨무니 도깨비가 놀라 도망을 갔단다. 그래서 그 집에서 잘 살았단다.

산사에서

끝없이 펼쳐진 마니산 자락은
여인의 치마폭처럼 펼쳐지고
산모퉁이 내려 앉은 암자에 그윽한 종소리
법당에 길고 긴 한숨만큼 번뇌도 끝없어라.
느즈막히 아침 해는 떠오르고
물 긷는 스님 어깨에 흰나비 앉아 우네.

터

조리터, 집터도 여러 가지가 있단다. 불과 몇 년 전에 청천동 살 때에 밤이면 평상에 모여 고구마랑 감자랑, 비 오는 날이면 일요일, 토요일에 부추전해서 먹으며 이러니 저러니 전진 보일러 언니네 집에서 떠들며 놀던 때가 생각난다. 지금은 마을이 사라지고 없지만 정겨운 곳이었다. 청천동 용수 목욕탕 건물이 두 개이고 6백평인지 어마어마하게 크다. 주차장도 크고 미장원이나 온 동네에서 옛날부터 부자만 이사를 온단다. 초가집 때부터 족박 조리터란다. 정말 조리처럼 생겼다. 땅이 크고 하여 비싸서 돈 많은 사람이 바리바리 싸서 이사를 오는데 갈 때는 망해서 보따리 하나 들고 간단다. 동네 터줏대감 엄니들이 떠들어대는 소리를 들었다. 조리는 곡식을 건져도 놓으면 뒤집어 진다. 잠깐씩 쓰고 걸어두는 걸로 만족해야 한다. 동네 어르신들은 집을 살 때 잘 보고 사라고 하셨다. 지금은 돌아가시고 안 계신 화성언니가 말했다. 수연 엄마야 내가 경기도 살 때인데 나는 살면서 손해 볼 일이 생기거나 돈이 들어올 때에도 꿈을 꾼단다. 그 말 끝에 저도 그런데. 그 꿈을 잘 새겨서 지혜롭게 대처해야 한다 하셨다. 꿈에 화장실 변기에 국수가 있는데 조리로 건져도 건져도 건져지지 않아서 밤새 잠 못 자고 꿈은 계속 되고 이사한지 얼마 안되어 아는 사람도 없고 하여 마을을 돌며 오래 사셨다는 어르신을 만나 뵙고 그 말을 했단다. 하니 그 집은 옛날부터 망해서 나가니 빨리 집을 팔고 나가라고 하셨는데 워낙 싸게 나와서 얼떨결에 샀는데 그래서 몇 천 얹어서 팔았단다. 꿈을 그대로 두었더라면 망했을 것이다. 그래서 조리터를 알게 됐다고 터가 반듯하니 네모나니 동그라니 하는 건 땅의 형태를 보는거란다. 아~돈을 잘 벌고 부자가 된 사람들 얘길 잘 들어야겠다고 생각하고 집을 살 때 신중하게 되었다. 조리터는 사지 말아야지 도깨비터는 빨리 치고 나와야 한단다. 미신이라 하기엔 복잡한 구석이 있긴 하나 알아두어서 나쁠 건 없지 싶다. 화성언니, 전진언니, 미장원 언니, 돌아가신 오목언니 들 보고 싶어요. 이사 갈 때 잘 보고 갈게요. 알려주셔서 감사해요.

동생들

내 기억엔 어찌나 이쁜 동생들이 문득 문득 보고 싶다. 하지만 사촌동생들은 내가 기억에 없단다. 그다지 서운하지도 않다. 외로운 나에게 선물처럼 찾아온 녀석들이다. 기철이는 얼마나 예뻤게 까무잡잡. 나는 아마도 그 녀석들에게 의지하며 살았나 보다. 환철이는 얼마나 예쁘게, 말을 배울 때쯤엔 느물느물 말을 그리 잘도 받아 친다. 내가 삽다리 총각 왔어? 하면 어이~에햄 하며 놀았다. 크면서 정기도 많이 하고 놀래기도 했던 녀석이다. 우철이는 마음이 곱다. 커서 누나를 호강시켜준단다. 너희가 내 기억에 없어도 건강만 해라.

아이들

내 아이들은 내 생각에 머물고
나의 눈에 눈 속에 있다.
내 가슴에 뛰어 놀고
나의 생각에 멈춰있다가 먼 곳에 있다 싶으면 가까이 있다.
내 아이들은 잠도 없다.
언제나 꿈 속에 있다.

정서진 밤바다

갯벌에 물이 빠지면 꽃게, 방게, 논게들의 숨바꼭질이 어지러운 곳
게들의 달리기에 덩달아 바쁜 갈매기는 망원경을 켜고 달리는 꽃게를 따라 잡지 못한 체
갯벌을 헤매인다.
심판은 무슨 심판, 죽은 망둥이에 넋이 빠져
낙지가 게들을 삼켜도 파도는 오지 않는다.
밤새 지친 게들은 단잠을 자려하고
눈치 없는 해는 떠오른다.

핑계

사람들은 말을 하기 전에 핑계거리를 찾는다. 듣고 보면 그럴 듯 하다. 번지르르하니 포장을 하면 이해가 된다. 핑계를 대지 않고 가만히 있는 사람은 생각이 많다. 속으로 비웃기도 하고 그냥 쌩 깐다. 말을 안 하는 자가 더 무섭다. 속을 드러내지 않으니. 말을 하는 자는 그 자리를 모면도 잘 하지만 잊기도 쉽다. 나는 누구인가? 말을 하다가 말문이 막히면 핑계거리를 찾지 않는다. 그냥 그 사람을 포기한다. 그 이후에 생각에 잠긴다. 후회는 하지만 빠르다. 포기도 빠르고 이해도 빠르고 하지만 감당할 수 있음 감당한다. 남들은 울 맹꽁이 감당할 수 없는 자이다. 말한다. 하지만 내 사람 내 사랑은 그리 쉽게 포기 못 한다. 술을 꽁이한테 끊으라 하면 못 끊는다. 이혼이냐 술이냐 하면 울 꽁이는 이혼이다. 전에는 끊어볼게 하고 한 달을 못 참고 담배도 끊어볼게 못 끊고 여자도 끊어볼게 못 끊는다. 말은 잘 한다. 이 세상이 술을 먹게 해서 먹었고 음주운전은 술 먹고 잘 가고 있는데 누가 들이박았고 잘 가고 있는데 전봇대가 와서 박는데 어쩌냐고 한다. 담배 끊는 인간하곤 상종 말래서 못 끊고 여자는 외로워서 못 끊고 말을 너무 잘 해서 억장이 무너지고 말문이 막힌다. 내가 포기 못하니 맹한지 꽁한지 니가 포기 하란다. 하도 답답하여 점집에 가서 점을 보면 여복이 있어서 당신과 헤어져도 좋은 사람 만난단다. 할 말이 없다. 요즘은 어떻게 맹꽁이가 굴포천 사거리 느티나무 위에 올라가서 맹이의 동태만 살핀다. 시장 가서 돈을 쓰는지 누구를 만나는지 꽃들하고 놀다가 새들과 속삭이다 하늘보고 싸우다 구름하고 노니다 물 속에 들어가 물장구도 치는 맹이를 망원경으로 뚫어지게 본다. 하루 종일 맹이 꽁무니만 쫓는다. 안 보이면 어디야, 어디쯤이야, 빨리 안 와, 몇 신데. 젊어서 그러지 요 맹꽁아.

가을 문턱

드높은 하늘은 구름 한 점 없고 맑고 맑다.
봄의 향연은 끝이 나고
뜨거운 햇볕 아래 꽃들은 사라졌다.
타버린 가슴만큼 여름은 멀리 가려 하고
나뭇가지에 열매는 무르익는다.
매미는 마지막 가는 여름을 배웅하듯 울어대고
드높은 하늘엔 고추잠자리 가을 맞으리.

못난이

나는 일찍부터 중매가 들어왔다. 아무것도 안 해와도 되고
나만 있으면 된단다. 고모네 집 마을에서는 내가 못난이로
안 보이고 잘난이로 보인단다. 어려서 크는걸 훔쳐보다 며느
리감으로 찍어놨단다. 하지만 우리 큰 삼촌과 식구들은 부자
이고 남편감도 너무 좋아서 안 된단다. 너처럼 못난 게 가면
구박만 받고 부자 살림을 감당 못 한단다. 시어머니도 좋고
다 좋은데 네가 문제란다. 나는 잘 할 수 있는데, 잘 할 것
같은데! 하면 우에하나. 네 고모를 봐라. 감당을 못 하잖냐!
곳에 시집을 가고 싶었으나 못난이가 우에하나 갈 수가 없
었다. 나를 알지 못하는 친지가 얄미웠다.

잘난이

나는 나는 못난이가 아니다. 잘난이다.

못난이로 비춰졌을 뿐이지.

중매들어오는 중에서 제일 못난 집으로 갔으나 제일 부자를 만들었다.

잘난이가 못난이가 14년만에 이혼을 했지만 아마도 계속해서 살았더라도 그 고을에서는 최고의 부자, 최고의 집이 탄생했을 것이다. 동네 어른들이 지금도 말한다. 아마 최고의 집을 이끌었을 거라고. 뻥이다, 진짜다, 진짜다, 맹꽁맹꽁~

대부도

노을이 따르는 다 저녁에 대부도에 가다.
하얀 풍차가 손님 맞이를 마친 듯 바닷가에 어느새 달빛이
따르네.
옹기종기 모여 고기 잡는 고깃배가 발길 재촉하고
마중 나온 부둣가에 아낙이 분주한다.
간만에 느껴보는 넓은 바다에서 여유로운 저녁을 맞는다.

대부도에서 꽁이 생각

칼국수집들이 널부러져 있고
일 년 만에 들른 이 길은 옛 님이 생각나고
이 집인지 저곳인지 알 수 없는 생각에 빠져본다.
대부도인지도 모르고 뒤따라 왔던 바닷가에서
오랜만에 비린내 나는 향수를 느껴본다.

오색집

거미 가족이 싸운다. 하라는 일은 안하고. 맹꽁이 화났다. 맹
꽁은 사업이 번창할수록 대장 역할에 흥이 났다. 굴포천, 청
천천, 갈산천, 계약천을 오가며 직원들 관리에 바쁘다. 맹이
못지 않게 꽁이도 가족을 잘 돌본다. 농도 잘 하고 섬세하여
직원들의 즐겁게 해준다. 맹이를 잘 두었네. 여복이 있네. 마
누라덕이네. 이 소리만 안 하면 된다. 남자는 언내고 밴댕이
속알딱지다. 쉿, 비밀.

거미가족이 늘수록 실공장은 번창한다. 거미는 싸울 때가 제
일 이쁜 색이 나온다. 맹이는 심심하면 와서 싸움을 붙인다.
알리 없는 가족은 늘 싸운다. 그래도 일은 잘 한다. 서운동
목화밭은 맹이의 일터이다. 짓궂은 수달 친구 연옥이 목화를
잘 먹는다. 가뭄에 목화는 피기도 전에 말라 맹꽁이 부부를
애를 태운다. 목화밭 규모는 어마어마하다. 풀을 산더미처럼
해놨다 썩힌다. 거름할 요량이다.

방랑길

밤바다를 뒤로 하고 집으로 오는 길에 달빛이 따른다.
둥글 달이 왠지 모르게 잠 못 이루고
이 생각 저 생각에 뒤숭숭하다.
알 수 없는 생각이 나를 사로잡고
오늘 따라 멀어져 간 사람이 그리워진다.

내가 훔쳐본 세상

음력 금음날, 내가 훔쳐본 세상 속에서 지난 날들 중 내가
삼켜버린 날들 중 날들 중
지난 시간들은 어찌 보냈는가 토해내고 싶을 만큼만 삼키고
먹을 만큼만 훔치고 살지 않았을까 싶은 밤에 후회는 없다.
달이 저리 밝으니.

세상과의 싸움

내가 훔쳐본 세상은 아름다웠다.
한판 붙어 볼만한 세상이라 생각한다.
수수께끼 같은 세상
도깨비 같은 인생
약간만 훔쳐봤을 뿐이다.
그래서 나는 그곳으로 뛰어들어가 살았다.
실패와 고뇌 속에서 얼음이 얼었다 녹았다.
내 가슴을 장난질하려 산 것 같다.
삼켜 온 날들 속에

엄마 찾아 간다

때 늦은 밤바람이 차가운데
엄마 찾아 헤메이는 천둥오리는 길을 잃어도 별은 뜨고 진
다.
엄마 잃은 슬픔도 가시기 전에 겨울이 찾아와도 오리는 커
간다.
그렇게 세월은 간다.

무지개 동산

나의 무지개 동산은 사시사철 옷을 갈아 입는다.

산곡천과 청천천이 만나 갈산천을 가로질러 부천까지 이어져

가도 가도 끝이 없는 이 길이

나의 낙원이다. 내 구찡과 오솔길을 가다가 부천 가까이 오

면 고개를 돌리고 집으로 가잔다.

그렇게 한 두 시간의 행진이 끝나면 하루가 끝난다.

여승

법당 앞 매돌 위에 새하얀 고무신은 주인을 기다리고
망부석에 사연은 길고 길어라.
법당 앞 엎드려 빌고 비는 여 스님의 여드름은 철이 없어
가슴 아파도
땀에 젖은 버선은 외씨를 닮았구나.
피우지 못한 옛사랑에 가슴 아파도
새벽 찬 이슬에 눈물 떨구네.

끌매미

요즘은 매미들의 마지막 함성이 시끄럽다.
왜 저래, 잠을 못 자겠어, 한여름 밤은 지루하지도 않나 봐.
올 들어 물가에 고추잠자리랑 소금쟁이가 기승을 부리고
청승스리 울어대는 매미땜에 못 살겠다. 시끄러워.

한여름 밤의 추억

망령 난 엄마는 비 오는걸 알리 없고

하지감자 익어가는 들녘엔 저녁 안개 걷히고

아궁이에 턱턱 보리때 밥김 오르네.

호박잎 슬쩍 쪄서 된장에 한 잎 싸고 입안 가득 풋고추 터지네.

턱턱 벌어진 감자밥과 울긋불긋 강낭콩이 밥꽃이 피었네.

도둑놈 소굴에서

전라도 무주 부남면 장안리에서 10여년을 살았다. 충남 금산에서 인삼 장사를 한답시고 나를 꼬득여 장가를 갔지. 왠수가 그렇게 나의 첫사랑은 막을 내리고 애기엄마 시집도 안 갈 나이에 어른이 되어버린 내 모습을 보며 꾸지 못한 꿈을 접으며 지난 날을 생각해 본다. 친정에서 헌 옷 가지를 얻어다 빨래를 해 널면 다 걷어다가 재복이 엄마는 담 넘어 걷어다 버젓이 입고 다닌다. 이거 없어졌는데 내 옷이고 남편 옷인데? 물으면 아니란다. 장날에 사 입었단다. 재복이네 집은 하루도 편한 날이 없었다. 왜냐하면 그 엄마에 그 자식이라고 재복이 동생이 온 동네를 다니면서 돈을 훔쳐가고 라디오, 미싱을 다 뜯어 놓고 온 동네를 돌며 말썽을 부려 학교도 못 다니고 객지로 나갔다. 객지 생활은 어떠했는지 모르나 근심이 떠날 날 없는 집이 재복이 엄마 아버지는 부끄러움도 모르고 입바른 소리도 잘 하고 뻔뻔해서 아무 집이나 들어가 밥 달란다. 우리집은 쌀도 없는데 부뚜막에 앉아 아침을 먹고 간다. 친정 아버지를 해주겠다며 으름장을 놓기도 한다. 옆집 엿장사 유씨 마누라는 우리집에 물건이 없어

608

지면 그곳에 있다 빌려가면 감춰놓고 안 준다. 전라남도 해남에서 두 부부가 이사 와서 살았단다. 살면 살수록 무서웠다. 한번은 친정아버지가 딱 한번 우리집에 오셨다. 아버지는 추석 때 피동에 몇 마리와 멸치 한 포 쇠로 만든 화덕을 어깨에 울러매고 오셨다. 깜짝 놀랐다. 마루에 앉아보지도 못하고 손자들 얼굴 한 번 안 보고 차를 타야 한다며 가셨다. 차비 한푼 못 드리고 밥 한끼를 못해드렸네. 돈을 구할 곳도 없어서 그냥 보내드렸네. 어찌나 서운하던지. 쇠로 만든 화덕은 지금은 어느 집 정지를 지킬까? 불 한번 집히지 못한 체 그 누구가 가져가 훔쳐가 버리고 지키지 못한 화덕은 미안함을 안고 산다네. 나에게 선물이었던 무거운 화덕은 내 마음의 무게만큼 무겁다. 여수 조선소에서 여기까지 무거운걸 버스를 몇 번씩 타고 어깨에 매고 오셨을 걸 생각하면 가슴이 미어지는 밤이다.

보고 싶은 사촌 동생들

늘 상 항상 내 등에서 커간 동생들이 보고 싶어라.

속없이, 은하, 은주는 예전에 두름박시암을 퍼서 기저귀를 빨다가 은하가 등에서 훌쩍훌쩍 뛴다. 나는 겁이 난다. 은하가 물에 빠질까 봐 물을 떠서 올리다가 물 위에 비친 내 모습을 본다. 맑은 물 위에 내 모습이 어처구니가 없다. 한참 공부할 나이에 두 손 호호 불며 물 길어 오고 빨래하고 그래도 동생이 어찌나 이쁘고 순한지. 나는 푸른 하늘 은하수라 부르며 동생을 안고 잔다. 고모집 가서도 애들이 그리 순하다. 윤철이만 팔닥 팔닥 뛰지 난숙, 희숙, 종철이는 어찌나 순한지 울지 않았다.

아버지를 그리며

구구절절 깊은 밤은 나를 깨우고
다 하지 못했던 효도를 일깨워본다.
망부석의 사연인가
서리서리 눈물인가
새벽 이슬 머금은 이른 아침에
다시금 생각나는 나의 노래에 목청을 가다듬어 본다.
이른 아침에 잠 깨어.

한여름 밤의 추억

옛 추억이 주마등처럼 스치는 소나기 오는 날에
우둑허니 창가에 앉아 생각에 잠긴다.
보리밥에 된장찌개를 열무 비벼 먹으며 서로 한 수저들 먹
으려 얼굴을 보며
내 앞에 밥을 쭉 밀던 생각
푸성거리 하나 챙기지 못한 체 마음이 허공에 떠돌며
양재기에 밥 비벼 서로의 눈치를 보느라 못 먹었지, 그치 그
치.

엄마의 노래

어디에 계시 온지 보고픈 우리 엄마

저 하늘 저 하늘에 머물러나

목 매여 불러 보는 보고 싶은 엄마를

소리쳐 불러 보는 그의 이름에 목이 매여도

지금은 가고 없네

저 하늘 별이 되어

저 하늘 구름 되었네.

엄마

자식이 내가 사는 이유가 된다.
엄마라는 이름으로 살기에 힘이 들어도 좋다.
아무리 어려운 일들이 나를 기다려도 괜찮다.
이길 수 있기에, 견딜 수 있기에.
이 세상에 가장 아름답고 참된 말은 용서, 용서, 용서이다.
그것도 엄마이기에 가능하다.
엄마였기에 행복했고 엄마이기에 위대했다.
나는 엄마이다.
내 새끼의 어머니이다.

편지

아버지는 갈매기 입에 딸의 편지를 써서 날려보내고
딸에게 전하여 다오.
바다가 없는 딸네 집을 찾지 못한 체 갈매기는 바다에 날려
보낸 편지 속엔
보고파라, 보고 싶어라. 그리움이 담겨 있네.
서글픈 아비의 영혼은 파도 되어 사라지고 희미한 등대 불
만 깜빡이네.

어느 날

아이들은 나를 어찌 생각할까?
가끔은 생각해 본다.
눈만 멀뚱멀뚱 바라보던 어린 시절 아이들을 생각해 본다.
항상 집에는 엄마가 없었지. 둘째가 어느 날 툇마루에 앉아 하는 말이
나는 다 없어도 엄마만 있으면 된다고.
그 말을 들으며 가슴 아팠다. 솥단지도 금산형이 뜯어가서 아궁이는 다 허물어지고 불을 때면 방은 다 식고 남의 집 부뚜막만 고쳐주고 있는 왠수는 집에 없고 아마도 나는 이 모든 것들이 화로 남았나 보다.

가을의 문턱에서

물새 잠든 밤에 물결 잠들고
어두운 그림자 하나가 물 위에 비추네.
둘이서 걷던 밤길은 어둠 거치고
어미 새 바쁜 하루는 사직되나 보다.
매미들의 길고 긴 합창이 끝나고
고추잠자리 하늘은 드높고
송사리 떼 떼지어 노니니
가을이 오나 보다.
그렇게

오색 무지개

오색 무지개가 굴포천을 부른다.
하이얀 색깔의 향연은 달빛 따라 흐르고
마치 꿈결에 무지개 다리를 놓았나 색깔을 삼켰나
거미의 실밥은 곱디 고와라.
마치 불로 노을을 삼켰나.
오색등 불빛 사이로 출렁 다리가 춤추네.
하늘을 날아 올라 구름 다리 되었나.
무지개가.

가을

뜨겁게 달구던 여름이 한걸음 뒤로 하고 도망치듯 가려는
여름은 바쁜데
빨개진 대추가 익어가네요.
사랑채 머슴은 탱자나무 아래 탱자 탱자 하며 놀고
널 뛰듯 맹자가 숨 넘어가네.
초가집 지붕 위 용마람은 여름 장마에 썩어도
들녘은 익어가고 동쪽에 가을 바람 시원히 불어오네.

꽁이네 주막집

맹꽁은 분주하다. 비가 온 후에 아침 실안개가 나를 반긴다. 맹꽁이 호박잎을 많이 따왔다. 굴포천뚝에 맹이가 심어놓아 잘 먹는다. 감자꽃이 어여쁜 뚝길에서 벙긋 벙긋 웃는 함박꽃처럼 어여쁜 호박꽃 아침 이슬에 피여 해질 무렵 꽃잎을 달아 별과 달을 애태워도 도도한 꽃은 아름다워라. 할배가 뒷곁 샘에서 호박잎을 치대어 풋물을 빼서 감자랑 집간장을 넣어 끓여 먹었지. 어찌나 시원하던지 그 맛을 잊을 수 없어 자주 해먹는다. 호박잎은 슬쩍 쪄서 된장이나 고추장에 쌈 싸 먹으면 둘이 먹다 다 죽어도 모른다. 술은 술은 난리다. 맹꽁이 입 터질라 먹고 돼지감자 주다. 봄에 케어 말려 놓았다. 살짝 볶아 구수하다. 얼마나 맛있게 여름엔 좋다. 당뇨에 좋고 혈관에 좋고 다음엔 여주주를 담그런다. 꽁이가 쓰잖아, 말한다.

된사랑

가슴 타게 부르는 이름은 물거품 되어 사라지고
새가슴은 가슴 아파라
이고 지고 가려 했던 옛 추억은 무너져 버린 체
옛 사랑에 희미한 그림자
숨가쁜 언덕에서 그리는 너의 모습 사라져 가고
불현듯 떠오르는 너의 모습이 뭉클이 가슴에 남네.

무지개 염색집

갈산천 사거리에 오색천이 바람에 빨랫줄에 나붓긴다. 요즘 엔 칡꽃이 예쁘다. 자주 빛깔 무지개다. 봉숭아 꽃도 들국화 도 약재로도 색을 낸다. 삶다가 명반을 넣고 소금 소다 다 써본다. 치자도 예쁘고 지치, 토봉용, 엄나무, 맹문동꽃과 뿌 리 작약, 양파, 감자, 쥐똥나무 열매, 땡감, 탱자, 머루, 오미 자, 구기자, 메리골드 허브, 다시마, 물망초 색을 낼 수 있다. 색을 내어 예쁘게 수를 놓는다. 맹이와 은주, 은주 동생, 피 부샵 언니, 호림 언니가 수를 놓았다. 성격이 다르기에 수도 다르지만 특색이 있다. 맹이도 거칠긴 해도 그만의 솜씨가 있다. 머지 않아 옷 공장도 차릴 테다. 이러다 맹이의 꿈이 이뤄지나 보다. 가을 코스모스를 색을 들여 수를 놓아야지. 이제 눈이 안 보여 아무것도 못 하겠다. 마지막 발버둥을 쳐 본다. 맹이가.

먼 길을 가려 한다.

국수 가락처럼 뒤엉킨 인생은 머리카락 되어 엉키고 설켜 가시밭길을 헤메이다가 비로서 마음의 안정을 찾는다 싶을 때 죽는다. 아이는 빈 젓을 빨다 포기하지만 애미는 마르고 말라 마침 머리에서 하이얀 거미줄이 실타래처럼 나와서 목을 졸라도 숨은 붙어 세월을 삼켰다. 수 많은 고통과 시련 속에도 꽃은 피고 지고 또 다른 세월을 맞는다. 행복하다 느낄 때 때는 늦으리. 저 산 너머 무지개가 날 기다린다. 바삐 가야지. 먼 길을 떠날 채비를 하여 본다.

발자국

흙 위에 발자국은 비가 오면 사라진다. 그도 사라지고 시멘트 위에 발자국은 없다.

바람 불면 흙이 먼지 따라 사라지고 고무신이 지나갔나 짚신이 갔을까 남자인가 큰 발자국이 코고무신이네 새 색시인가 궁금하며 지루함을 잊었던 길이 사라지고 없다.

머지 않아 굴포천도 바뀔지 모르나 지금은 진흙탕 위에 발자국을 세어본다.

다 저녁에.

후회

한번 태어나 한번 가는 인생에서
차마 가지 못한 체 헤매여 본다.
모진 세월은 슬픔을 삼킨 체 흘러가도
따르지 못 했던 후회가 남고
큰 맘 먹고 저승길 갔더라면
또 어떤 세상이 날 반길까, 날 반겼을까
생각게 하는 밤에.

비 오늘 날에

- 그땐 그랬지

비 오는 날이면 할매가 칼국수를 해 주던 때가 생각이 난다. 툇마루에 앉아 옥남아 칼국수 반죽 하잖다. 어린 나는 마루 밑에 뒹구는 철남생이를 씻어 화덕에 갈아 밀가루 반죽을 한 다라 한다. 할매는 큰 보자기를 깔고 밀어낸다. 큰 오봉 만 하다. 둥글게 긴 칼국수 대로 쭈욱 쭈욱 구르며 밀어낸다. 얇게 짧게 썰어 내가 물을 끓이는 동안 얇게 썰어 끓인다. 감자 듬성 듬성 넣고 애호박, 파, 멸치 몇 마리가 전부지만 얼마나 맛있게. 집간장 맛인지 달큰하며 목이 간질간질하다. 철남생은 독약이나 소량으로 먹으면 몸 속을 해독해준다. 할배는 양재기로 드시고 큰삼촌 막내도 두 그릇째다. 뜨거워서 후후 불며 먹었다.

사거리 주막집

폭우가 쏟아져 아궁이 불이 춤춘다. 맹이가 잔치국수를 하려
나 보다. 가마솥에 멸치 육수에 파 뿌리, 양파 껍질, 표고버
섯, 황기 몇 뿌리를 넣어 푹 끓였다. 육수가 맛있다. 국수 위
에 고명은 파란 호박을 채 썰어 빨간 홍고추와 청양 고추
몇 개가 예쁘다. 국수를 몇 관을 삶아서 차가운 물에 얼음을
넣어 씻었다. 쫄깃 쫄깃 맛있다. 듬북은 두 그릇, 대장간 수
달도 두 그릇 째다. 조선간장으로 간을 해서 뒷맛이 깔끔하
다. 순사, 순경 까마귀, 까치, 너구리, 족제비, 지지배배, 도살
장 곰보도 왔다. 돼지고기 편육도 했다. 국수는 뜨겁고 돼지
고기는 차므로 잘 어울린다. 막걸리는 솔방울 주다. 새파란
솔방울이 예쁘다. 길가에 구르기에 술을 담궜다. 내일은 콩국
수를 하련다. 아마도 난리날 것 같다. 은주네 가족도 불러야
지.

박꽃

달밤에 날 보라고 피는 박꽃은 함박웃음만큼만 고와라.

뾰족이 내민 혀 끝에 내려앉은 나비는 나의 님이련가.

가슴 터질 듯 안아보지만 저 달 기울면 그림자 되어 따라가리.

노오란 혀 끝에 감촉을 잊은 체 찬 이슬에 입술 모으고 꽃잎 닫았네.

날 궂은 날에 맹이네 주막집

삼 년 묵은지를 듬성 듬성 썰어 돼지고기 넣고 쌀뜨물에 들기름 한 수저 넣고 많이 끓였다. 가마솥에 깔끔한 맛이 그만이다. 대파와 마늘 조금이 그만이다. 술은 복숭아주다. 여름에 복숭아를 따서 담았다. 굴포천 개복숭아 나무가 많다. 수분이 많아서 누룩을 많이 넣었다. 그렇게 여름밤이 익어간다. 보리밥이 여름엔 맛있다. 팥을 넣었다. 족제비 우체부가 제 몫을 톡톡히 한다. 가끔씩 두루미 우체부가 그립긴 하지만 너구리도 잘 지낸다. 족제비 텃새가 제법이다. 까치 형사와 까마귀가 또 싸운다. 족제비 꼬리가 더 잘 말리냐 구찌냐 너구리냐다. 그래, 싸워라 싸워.

무지개 염색집

무지개 염색집을 연지도 어느덧 일년이다. 서운동 목화밭은 커가고 갈산동 실 공장과 염색 공장이 커간다. 지천인 들꽃과 약재들이 어우러져 개울이 있어 빨래 빨기도 좋고 무지개 개울은 바쁘다. 오색천이 바람에 날리우면 온 계곡이 춤춘다. 수옥과 은주, 숙정, 호림 언니의 수는 예쁘다. 혜선의 수는 나른다, 날라. 성정대로다. 까치와 까마귀가 싸운다. 두루미도 거든다. 맹이가 수를 놓을깡? 못 놓을까요 다. 또 목숨을 건다. 두루미가 말한다. 저 성질머리 가지고 무슨 수냐고. 맹꽁은 말한다. 잘 해. 얼마나 예쁘게 수를 놓는데.

오늘은 바위 틈에 붙은 잎기로 색을 낸다. 덕유산 바위에서 따온 버들 잎기는 가면 갈수록 봉숭아 색을 내고 굴포천의 잎기는 푸르다. 예전에 마름 잎기를 돌에 찌어 손톱에 물을 들어 주었다. 칡잎을 싸서 봉숭아만은 못해도 예쁘다. 바위 위에 와송도 색을 잘 낸다. 염색에 빠져 산다. 직원들도 흥이 났다. 월급은 꼬박 꼬박 준다. 그래봤자 지렁이와 번데기뿐이다.

불쌍한 할매

아들을 일곱을 두고 딸을 하나 두었으나 의지할 곳 없어 십여 년을 보따리 하나 들고 이 집 저 집 떠돌았단다. 까맣게 모르는 일들이 모래알 되어 흩어지고. 고모의 역시는 길고 길다. 낳지 않은 아들도 자식이고 섬기지 못할 자도 부모이다. 할매는 왜 딸네집에 머무는 시간이 길까 하였지만 생각에 없다. 깔끔하고 얌전하고 다소곳하며 말씀이 자본자본하다. 나는 전혀 안 닮았다. 아무에게도 말 못하고 가슴앓이 했을 할매 마음 하나 의지할 곳 없어 떠돌 적에 설움이 이만 저만 알리 없는 소문은 떠돌아도 그 속을 누 알리요. 세월이 흘러 큰아버지가 모시며 손자, 손주가 효도를 하였다고 한다. 제삿밥은 잘 드신다. 고모와 내가 절에다 모시니 20년째다.

멍든 가슴

된서리가 옷에 젖어도 가랑잎에 옷이 적셔도 감각이 없다.
몽둥이로 한 방 맞았나 기억은 없고
엄살이 없는 건지 왼발 등이 썩어도 썩어가도 모른다.
고름만 안 나면 되고 피만 안 나면 되지.
뻥 뚫린 가슴만큼만 아파라.

하나

깨금은 꽉 깨물어도 반이 안 된다.
하나가 반쪽이 안 된다. 귀퉁이에 머문다.
반은 반이 쉽다.
한번 금이 갔으니!
부부는 하나이다.
반이 될 수 없다.
한번 금이 간 인연은 하나되지 못한다.

외로워

새벽 안개 짙어지면 저녁 노을 사라지고
끝이 없는 세월 속에 내 청춘이 피어난다.
멀어져 간 그 사랑이 물결 되어 일렁이고
끝없이 펼쳐진 물결 위에 외로이 서서
깜박이는 등대는 내 맘 알리오.

못 잊어

저녁 노을 짙어지면 저녁 안개 사라지고
흘려 보낸 그 세월이 물결 되어 흩어진다.
한 많은 내 청춘은 흘러가는 구름인가
목 메이게 불러보는 그 이름을 저 물결은 알고 있나.

허무한 인생

저만큼 밀려온 하늘을 드높이고 아~이것이 인생이란 말인가
살아보니 이것이 아닌 것 같은데
저만치 멀어져 가는 구름만큼 허무해라.
되돌리지 못한 시간 속에 허무함이 맴도네.

인생

차갑게 흐르는 달빛에 내 눈물 적시고
꾸지 못한 작은 꿈은 물거품 되어 사라져가고
어디로 가야 하나
구름 같은 내 인생 발길이 가는 대로 흘러가리
구름 따라.

덕유산에서

한여름 밤에 추억 모닥불 피워놓고 얼기설기 앉아 옥수수
먹던 시절이 그립습니다.

키다리 삼촌은 늘 그랬듯이 제일 맛없는 것만 골라 드신다.
덜 여문 게 소화도 잘 되지만 요리조리 돌리고 여문 것만
드신다. 덩치가 하마처럼 커서 배도 고프단다. 남 먼저 챙긴
다. 여름에는 옥수수를 마주하는 밤에 문득 생각나는 큰삼촌
이다.

인생

채우려 채우려 하다 그릇에 담긴 물은 쏟아져 버린다.

빈 그릇은 채우기 쉬우나 이미 조금 담긴 물은 채우기가 어렵다.

맑고 맑은 물은 그대로 담기나 잎기 물은 줄기 때문에 흘러내린다.

인생은 그런건가 보다. 아마도.

대부도

커다란 풍차가 바닷가에서 우리를 반긴다.

영흥도 끝 섬에서 하룻밤을 청해본다. 어둠이 깔린 바다에 뻘은 대낮이다.

조개 껍질인지 굴 껍질인가 온 발이 베어도 숨어버린 게들의 숨바꼭질은 당할 수 없다.

방게 논게 텃새가 이만저만

바짝 약 오른 강아지 구찌가 뻘을 파지만 게 구멍인지 낙지 숨구멍인지 분간은 없다.

두 눈에 망원경을 달았나, 갈매기까지 합세하여 텃새를 부린다.

간만의 바다는 하나의 추억을 선사하였다.

맹꽁이 주막집

듬북도 수달도 맹꽁도 여름은 힘든가 보다. 대장간 수달은 아예 탈이 났다. 맹이가 바쁘다. 굴포천 식구들을 챙겨야 하기에. 텃밭에 부추를 베어 감자를 갈아 넣어 부추전을 쫀득쫀득하게 부치고 가마솥에 멸치 넣고 수제비 반죽에도 감자를 갈아 넣었다. 호박과 감자를 넣어 수제비국을 한 가마니 솥을 끓였다. 식혜는 둥굴레 식혜를 시원하게 하였다. 마루에 작은 항아리엔 인진쑥환을 내어 말려서 담아 두었다. 오가는 객들이 한 주먹씩 먹으라 써놨다. 물은 보리차로 대신했다. 내일은 오이냉국에 열무된장풀이를 하련다. 옛날에 여름에 해먹던 음식이다. 열무를 애기 열무를 툭툭 잘라 청양 빨간 것 썰어 넣고 장푸리를 하여 먹으면 좋다. 그렇게 여름엔 된장이 최고이다. 간장으로 간을 하면 탈도 없고 막걸리 식초를 조금 넣어야겠다. 맛있을 것 같아요. 오세요, 저희집으로.

꽃이 될 테야

난 한 떨기 빛이 되자.
한 송이 꽃이 되자.
나는 하늘의 별이 될래.
땅의 흙이 될래.
개울의 새가 될래.
연못의 잎기가 될 테야.
계곡의 다리가 되고
길가의 나무가 되고
겨울엔 눈이 될 테야.
여름엔 바람이 되고
봄엔 꽃이 될래.
우리집엔 기쁨이 될래.
나에겐 사랑이 될 테야.

그 님이

빙그레 웃던 그 님이 저 멀리서 날 오라 하고
달려가 보니 허수아비였네.
허접한 마음을 접을 길 없어
공연히 들뜬 마음을 달래여 보다가
오락가락 빗줄기 마음 적셔도
검은 눈동자 가슴에 남아있네.

죽음

죽음을 두려워 말자. 그 나라는 안 가봤으니 모르지만 겁날 것 없으이.

사는 것보다 나을 수도 있지 싶다.

목숨 부지하려고 애쓰지 않아도 어쩜 되지 싶고

하나님을 믿는 자는 하늘나라에 가는 것도 선택받은 자만 간다더라.

영원히 살 수 있는 곳이라고 떠들어 대지만 아무도 모른다.

죽으면 하늘 나라로 가는지 지구 끝으로 가는지 아무도 모른다.

님아

님아 님아 내 님아.
주변머리 없는 님아
속알딱지 없는 님아
니 잘나서 살았더냐
나 못나서 살았지.
벤댕이 속알딱지 없다 해도 그보단 낫더라.
고르고 골라도 널 골라
탄식해도 그 조차 내 복인걸.
혀 끝이 혓바늘이라.
바늘만 탓하네.

꿈꾸는 맹꽁이

나는 부모도 원망을 하지 않았고 아버지 노름빚에 팔려 15살에 남의 집에 식모로 팔려가도 남편이 나를 전판에 끌고 가 빚 보증을 서게 해도 기꺼이 응하고 내 등에 수많은 아가들이 매미가 되어 울 때도 울지 않게 잘 돌봤고 고사리 손으로 똥 기저귀를 개울가에 얼음을 깨고 빨며 손이 얼어도 잘도 견뎠지요. 삶의 고통 속에서 나는 숙제를 잘하였고 어른들의 말이 떨어지기가 무섭게 일을 잘 하기에 나의 숙제는 끝날 줄 몰랐습니다. 삶이란 무엇인가? 밥 한끼 먹기가 이토록 힘이 든다면 안 먹는 방법은 죽는 수 밖에 없었기에 물에 빠져 죽으려 하면 물에 비친 내 모습이 곱디 고와서 못 죽고, 살고자 몸부림 치다 용기를 내어 장사라도 하려 하면 요술램프가 귀인이 되어 기적을 이루며 살았답니다. 세월은 흘러 꽃이 피고 지듯이 계절은 찾아오고 해와 달은 변함 없이 뜨고 지듯이 인생은 그렇게 흘러 갑니다.

실천

아무나 할 수 있는 일은 많지만 아무나 누구나 할 수 있는
일들이 많지는 않습니다.
생각만 하다 실천에 옮겨서 실패한 이도 있지만 우물쭈물하
다가 솜털도 날리우고
저울질 하다가 끝나버리다 실천에 옮기는 건 매우 신중해야
하기에.

원망

원망을 하여 본들 무슨 소용 있으련 만은 그래도 하여본다. 응석받이로 살면 어때서 아직은 애기인데 망둥어처럼 널뛰기를 하여도 새끼 망둥어인데 네가 무엇인데 감히 울 외할배 노태욱, 내 할배 최명석이 금이야 옥이야 하는 날 벌을 서겠다 몇 시간씩 무릎 꿇리고 물구나무를 서게 하고 할배가 죽으니 청천벽력이다. 어디로 가야 하나 나는 어디에 서야 하나 연봉이 삼촌은 밤이면 후레시 불을 들고 쫓으며 패고 삼촌들은 벌을 세운다. 고작 10살 넘었는데 성정도 더러운 나에게 지금의 나는 그로 인해 화를 안고 살아간다. 좋다는 곳은 다 다녀도 화를 끓여 만든 병이란다. 나는 어쩌냐 어쩌냐고.

삼촌들

똑똑한 삼촌들은 나에게 한번도 글을 가르치질 않았다. 학교 갔다 오면 소꼴을 베야하고 지게질을 하기에 그랬을까? 생각해본다. 헨생이 아제네 동생은 글을 가르쳤다. 왜일까? 지금 생각해 본다. 학교도 안 다니는 나하고 옥하를 앉혀 놓고 막내 삼촌이 더하기 빼기를 하란다. 열 손가락 열 발가락을 합쳐 보지만 답이 안 나오고 에그 숫춫 하신다. 막내 삼촌께 처음으로 실망을 했고 이해가 가지 않았다. 지금도 왜일까 왜 일까다. 학교에 다니는 옥하와 날 두고 저울질이라니. 맨날 천날 아이만 보는 나에게 심부름만 시키고 허나 원망을 하지 않는다. 만나면 여쭤보련다. 하지만 말이 안 나온다. 삼촌도 철이 없었나 보다. 나처럼.

원망

원망은 나를 지치게 하고 나를 병들게 하며 나를 흙구렁창
에 쳐 박는다.
하늘을 원망해도 아니 들리고 땅을 원망해도 아니 들린단다.
누구를 원망할 것 인가. 원망할 대상자를 찾지만 없다 없어.
그 누구 때문에 라는 건 핑계다.
스스로를 깨우고 나를 깨워라.

한숨

한숨은 쉬어도 된다. 땅이 꺼져라 한숨을 쉬어 보지만 안 꺼진다.

나는 한숨을 쉬다가 병이 났다.

참고 또 참고 한숨을 쉬는 것도 내 자유가 없는 줄 알았다.

나는 길고 긴 한숨을 쉴 수 있어 행복하다.

울 꽁이가 나만 보면 벌벌 떤다. 아무 말 안 해도 공연히 웃음이 나온다.

왜 그래, 왜 그러냐고.

누굴 원망하리

부모가 없다는 건 사막과 같고 바다 위에 홀로 떠 있는 것
과 같고
낭떠러지 위에 서 있는 소나무와 같고 사공 없는 배더라.
동네에서 도둑이 들어도 날 의심하고 비가와도 내 탓 눈이
와도 내 탓
하늘이 나 알고 땅이나 아는 일들이 장님이 되고
작은집에 식모살이로 부부싸움을 하면 애꿎은 내가 맞는다.
부모가 없다는 건 해와 달이 없음이요.

우런님

주야장창 밝은 달은 뭐 그리 바쁜지 뜨는가 싶으면 지더이다.

한숨 시린 사연 곡은 저 멀리 두고

두고 온 우런님은 달빛 기우네.

맹꽁이 주막집

맹이가 머리에 박꽃을 달고 신이 났다.

왜저래 미쳤나? 듬북이 말한다. 갈산천에서 박잎을 따왔는데. 생 호박잎과 박잎을 전을 부치련다. 솥뚜껑에 들기름으로 부친 전은 쫄깃 쫄깃 맛이 있다. 울 할배가 잘도 드셨는데 할매도 왜 그리 개운하며 맛있냐도 술은 술이다. 누가? 맹꽁이. 맹문동을 케어 말린 뿌리로 술을 담았다. 기관지와 폐에 좋다. 꽃은 얼마나 이쁘게. 길가에 지천으로 피는 꽃은 보라빛 향기를 담고 갓 쓰고 지나는 선비의 마음을 훔치기도 한다. 내가 좋아하는 꽃이다. 곡선의 귀품과 은은한 향기가 벌을 모은다.

먼 길

며느리 새치 혀에 놀아나는 아들은 장님이 되고
길 건너 노모는 다리를 건너지 못해 아들 집을 못 오네.
달 그림자 비추며 노모를 재촉해 보지만
노모는 물에 빠져 먼 길을 가올 적에
백일에 날 까르르 웃던 내 아들을 그려본다네.
웃음 띄며 마지막 가는 길은 달빛 따르네.

못난이가

이 못난이가 살게 함은 잘난 이로 만들었다.
가는 하나님을 몰라 보고 부처님을 몰라 보고 교만에 떨까
봐 못난이로 만들었나 보다.
하늘 높은 줄 모르고 설칠까 봐 그랬나 보다.
못난이가 되었나 보다. 못난이가~

그리움

그 누가 불렀나 나를 부르는 소리에 잠 깨인 얼굴로 동구
밖 탱자나무 아래 숨어 우는 바람 소리는 엄마의 노래인가
귀곡성의 노래인가. 누구인들 어떠하리. 개울 건너 개나리 처
녀 날 오라 손짓하네.

말을 해다오

물길은 가로질러 저 멀리 가고
쏜살같이 부는 바람 등을 밀어도
갈팡질팡 망설임은 부질 없어라.
울 엄마 가신 곳 어디매 인고
가도 가도 끝없는 지평선에서 간 곳을 물어봐도 대답은 없
네.
지평선은 말이 없네, 대답이 없네.

방랑자

끝이 없는 방황 길에서 길을 잃었나, 벗을 잃었나
물어봄세 대답은 없고
괜스리 바람만 부네
잎기 머금은 물은 말 없이 흐르고
매듭 매듭 엮은 사연 알지 못하리.
철 없는 뜬 소문에 오금 저려도
석양은 말이 없네.

노모

푸르른 창공은 화살 되어 날아올라 더 높은 곳을 향하고
언덕 저편 가던 길 멈추고 날 오라 손짓하건만
어이해 아니 보이고
어이해 아니 들리네.
귀는 귀는 아니 들리고
눈은 눈은 아니 보이고
손은 손은 떨리어도
발은 발은 멈추었네.
발이 발이 고목이 되어.

엄마의 노래

저 멀리 불어 오는 바람 소리 요란해도
별들의 속삭임은 속삭임은 가냘픈 엄마의 노래.
길가에 구르는 낙엽 조차도 제각기 굴러도 비에 젖어 풀이
죽네.
제 풀에 숨죽여 울어봐도 가던 길 멈춘 나그네 어깨에 힘
없이 앉았네. 낙엽이.

한 많은 청춘

간다 간다 나는 간다.
달 따라 가리다.
끝없는 방랑길은 멀기만 한데 비 피할 곳은 없고
두 아들 눈에 밟혀 떨어지지 않는 발걸음
살아도 산 목숨 아니고 죽어도 죽은 목숨 아니더라.

맹꽁이 주막집

아침부터 까마귀 순사가 나뭇가지에 앉았다. 까치 형사도 옆에 앉았다. 오늘은 뭘 가지고 아웅다웅일까. 맹꽁이 지은 죄가 많은지 곁을 떠나고 수달과 듬북이 떠들어 댄다. 맹이가 책을 냈다며 순사가 말한다. 형사가 진짜냐 가짜냐 따진다. 책 내용이 궁금한가 보다. 읽어보라고 꽁이가 대든다. 쟨 글도 모르잖아. 까마귀가 말한다. 글을 왜 몰라 맹꽁이가 난리다. 내가 써도 그 보다 낫다. 그게 글이냐? 꽁이가 화났다. 나무를 흔들며 가란다. 까마귀하고 까치는 또 목숨을 건다. 책이 팔리냐 안 팔리냐 다. 상관 말라며 꽁이가 소리소리 지른다. 왜들 지랄이야. 날 가지고~

고추당초

시어머니 잔소리는 가슴에 꽂히고
친정엄마 잔소리는 메아리 되어 귓전에 울리네.
시어머니 귀는 먹어 되씹는 말은 칼날 같고
친정엄마 곱씹는 말은 아니 들리네.

시살이집

고추 당초 맵다 한들 시집살이보다 더 매울 쏘냐.
옛말에도 있다. 부모 없는 설움도 모자라 부모 없다 구박하
고
동서들의 혀 찬 말은 가슴에 비수되어 내 가슴에 꽂혔네.

어리석음

인꽃은 꽃보다 이쁘고
꽃은 꽃은 꽃이라 예쁘다.
목청은 옥구슬을 굴려도 혀가 버티고 채찍 한다.
아담과 이브는 꼬임에 빠져도 세월은 흘러가고
사공이 길을 잃고 헤메이면 갈매기가 길 안내하고
먼 하늘가에 먹구름이 몰려옴은 예감이 있기에 알아차리고
바람은 일렁이며 말대꾸 한다.
고집 센 선장은 물에 빠져도 갈매기와 배는 선착장을 찾는
다.

고목

고목 나무에 피는 꽃은 상황꽃이요.
늙어서 피는 꽃은 검버섯이라.
누가 볼까 눈치챌까 손으로 가려보지만
눈치 없는 뜨거운 햇살이 비춰서 더 까맣게 되고
포기한 노파는 울지 못하고 바둥대며 살아온 날들이 주마등
처럼 스쳐가고
벤치에 앉아 졸지만 날파리가 깨운다. 집에 가라고.

글귀

울타리는 바람에 날라가고 지붕은 썩어 서까래만 남아도 집은 집이고 부뚜막이 내려 앉아 불길은 갈팡질팡해도 이내 굴뚝에 연기는 피어 오른다. 부지런한 참새는 이른 아침에 끼니 걱정 안하고 게으른 자도 한 끼 건너 뛰면 된다. 왠수니 악수니 해보지만 뒤돌아 서면 그만 저만.

인생은 구름 따라 가보지만 구름 뒤에 숨은 비를 보지 못한 체 비를 맞아도 후회는 없다. 감당치 못한 인연은 목에 가시가 되어 살지만 그도 저도 내 몫인걸. 내 몫인걸. 어찌할고.

맹꽁이

가시 덮힌 울타리를 걷어 던지고 담 없는 새집은 새들의 합
창이요.

생쥐 생쥐들의 놀이터로 내어준 광에는 쌀독이 널부러져 뚜
껑이 열렸구나.

옳다구나 꽁이로구나. 꽁이로구나. 땡이로구나.

방랑길

가도 가도 끝이 없는 방랑길에서
헤매고 헤매이다가 짓밟힌 꽃 한 송이
어느 누구의 넋이련가.
고이 접어 접어온 날들은 구름 걷히고 무지개 넘어로 바람
불어오면
고운 옷 너풀 너풀 너울 너울 물결 춤추고 맹꽁이 주막집에
서 오늘 시름을 달래보네.

먼 길

울어도 보았소.

웃어도 보았소.

어이 어이 바삐 가자 가자 가자, 가자꾸나.

살아 생전 개고생은 고생도 아니더라.

내 팔자 기구하야 보따리 옆에 끼고 어느 처마 밑에 밥 한 술 얻어먹으려 이 집 저 집 떠돌다 달빛 기운 언덕에서 몰아 쉰 한숨 소리 천금을 울리고 길고 긴 명줄은 끊지 못한 체 발버둥 치며 살아온 날들 속에 여민 옷 소매는 눈물에 젖었네.

먼길 떠나려 하네

길게 누운 저 산도 날 오라하고
저멀리 오뚝한 이 산도 날 오라 하네.
아니 아니 퍼질러 파도만 삼키는 저 바다도 날 오라 하네.
어쩌라고 아직은 할 일이 남았는데
자꾸만 가자네.
어느덧 눈에는 눈꺼풀이 생기고
손등엔 거뭇거뭇 검버섯이 뒷통수를 때리네.
노을이 때를 부르네, 가자고.
그래 가보자구나.
설마 이 세상만 못하리.

오색집

오색 무지개 염색 공장은 바쁘다. 직원들은 식성이 모두 다르기에 각자 끼니를 해결하지만 맹이는 살뜰히 살핀다. 깡시장이 가까워 쓰레기더미를 누비던 새들도 식사가 끝나면 부천천에 모여 역적모의도 끝나면 맹이네 일터로 모인다. 자색 양파를 버렸다며 알려주기도 하고 꽈리 열매가 익었다고 알려주기도 한다. 깡시장에 가서 버린 쓰레기들을 모아 모아 색을 내기도 한다. 자색 무우도 색이 예쁘다. 새들은 소식통이다. 서운동 목화밭은 갈매기 떼의 놀이터이다. 목화밭을 망치는가 하면 피기도 전에 쪼아댄다. 듬북이 바쁘다. 새들을 모아 지킨다. 고양이 반반이도 다림질이 끝나면 서운동으로 가서 목화밭을 지킨다. 오는 길에 아나지 할매의 안부도 잊지 않는다. 굴포천 사거리 주막집은 더욱 바쁘다. 어젯밤은 질경이 주를 했나 다. 깔끔하고 시원하다.

오색공장 운영하랴 술 담그랴 바쁘다. (맹이가) 도토리 묵을 짜고 도토리 찌꺼기로 색을 내니 색이 예쁘다. 떡잎색도 내야지, 오늘은 수제비로 끼니를 때우고 단호박 식혜도 하련다. 얼음 동동 띄우고.

정서진

갈매기 떼 춤추는 정서진
뻘은 뻘이다.
망둥어 널뛰듯 뛰여봤자고
물 빠진 갯벌에 숨은 게들은
저만치 밀려오는 파도 소리에 귀 기울이고
갔다가 밀려 오는 파도는 쉴 줄 모른다.
목마른 대지는 불타도 바다는 마르지 아니하고
정서진 목화밭은 하이얀 풍선을 달았나
뭉게구름 되어 하늘을 날고 날아
내 마음에 풍선이 되었네.

바다

길고 긴 바다는 멀고 먼데
저만치 가버린 노을이 아쉽기만 하다.
바다 가운데 서성이던 지는 해가 산 너머에서 쉴 적에
긴 한숨 몰고 구름 덮치네.

여운

애태웠던 그 사람도 지나니 부질없더라.
가슴 벅찼던 그 사랑도 시간이 흐르니 부질없어라.
간간이 불어오던 바람도 차갑게 느끼며
혼자 걷는 발길이 그림자가 위로하네.
끝나지 않은 사랑은 갈망하며
시작도 없는 사랑을 찾아 헤매여 본다.
급한 내 사랑은 여운을 남긴 체
아쉬움만 가득한 체 저물어 간다.
욕심을 부렸던 지난날이 후회가 되고.

첫사랑 왠수

아니라구요. 아니라니까요. 사랑이다 뭐다 왠수다 뭐다 떠들어도 맨날 거부하지만 나는 못난 왠수를 사랑했나 보다. 워낙 어린 나이에 만났기에 그랬나. 왠수의 주머니를 채우기 위해 고사리 메뚜기잡이를 하여 두 손 모아 갖다 바친 돈이 아깝지 아니 하였고 외상 술값에 품팔이를 해도 군담 한번 한적 없었으니 말이다. 해도 해도 끝이 없는 말~말, 말 나는 언제까지나 이 기억을 떨쳐버릴까? 아마도 치매가 오고 하면 잊을까? 알 수 없다. 기억, 추억을 떨치지 못하고 살기에 불행한걸까? 그 누구에게 물어도 잊으라 한다. 나에게 큰 충격으로 남은 일들이다. 내가 감당해야 했기에 무서웠고 불행 끝자락에서도 아이들의 얼굴에 꽃은 피었고 내 가슴에 봄날이 있었나.

혜선의 지난 날

진흙탕 속에서도 연꽃은 피고 지고 달빛 아래도 사랑의 속
삭임은 숨어 운다.

꽃 같은 처녀를 끌어다 이리부리고 저리 굴려도 처녀는 모
른다.

그것이 운명이라 여기며 기꺼이 몸을 내어준다.

어리석은 처녀는 지가 죽는 줄을 모른 체 죽어 간다.

하지만 웃는다. 그것이 사랑이라 믿었기에 처녀는 바보가 되
었다.

길들여진 말이 되었다.

불꽃

꽃이 피기 전에 꺾여 버려도 원망을 아니하였고
빈 밥그릇만 핥아대도 탄식을 아니 하였고
뺏기고 할퀴어버린 세상 속에서 꽃을 피웠네.
아이들의 웃음이 없었다면 없었을 일들이기에 가능하지 않았
을까?
개천에서 꽃을 피움은 어려운 일이다.
진흙탕이라 뿌리가 썩기에
그래도 꽃은 핀다, 나처럼.

혜선의 하루

보슬보슬 비가 내리면 알몸이 이리 찢기고 저리 갈키고
풀들이 나무가 이슬이 할퀴고 덮친다.
온 산을 헤매고 헤매이다가 산삼을 만나도 그다지 반갑지
않으이.
가슴에 피멍이 가시지 않으니 그다지 뜨는 해도 지는 해도
청성스럽다.
삼유리 고갯길에 긴 한숨은 버스 뒤에 먼지가 삼켰나.
돌아오는 길이 멀기만 한데
두더지 굴에 쥐 굴에 휑한 정지는 날 반기네.

색시야, 색시야.

십여 살 어린 색시가 말한다. 손바닥만한 땅이 없기에 남의 도지를 붙이고 소와 돼지를 살 터이니 키우자고 왠수에게 말하지만 대답은 없다. 색시가 내가 할 터이니 따라오라고 말한다. 허나 대답이 없다. 힘에 붙인 색시는 고개만 떨군다. 하루 일하면 열을 누워 있는 왠수가 밉지만 밥은 준다. 빌어오던 사오던 쌀은 구하고 말라버린 곡식은 털게 없어도 뭘 하던지 구해 오란다. 빚만 남는다. 장광에 먹을 것은 비운 체 맨날 천 날 허공에 떠도는 신세이다. 저녁밥만 먹으면 동네 가운데 나가 다리만 까불고 있다. 나이 어린 조세가 꼬딕이 먼 삼유리 다방에 가서 놀다가 칼국수집에 가서 먹고 논다. 알 수 없는 행동에 색시가 지쳐간다.

실개천

백로는 풀 속에 숨어 잠자고 구찌의 숨바꼭질은 밤새는 줄
모른다.
까마귀 검다고 놀리던 백로가 진흙탕에 빠져 헤어나오질 못
한 체
까미귀의 손가락질도 부질 없더라.
굴포천은 가랑비에 젖지 않지만 장마통에는 몸을 숨긴다.
큰 비가 내려도 물속에 숨은 개천은 물이 빠지면 언제 그랬
냐 하고 풀들이 고개를 내민다.
숨바꼭질은 이어져도 아무도 모른다. 나만 아는 세상이다.

옛사랑

천둥소리 요란한데 잠은 안 오고
어슴프시 옛 생각에 잠 못 이루네.
이루지 못했던 사랑에 목이 메이고
가눌 길 없는 설움에 복 받쳐 오른다.
나의 급한 사랑은 후회로 남아도
가슴 귀퉁이 묻어 놓았던 진심은 감추지 못한 체
고목에도 꽃은 피나보다.
내 가슴에 꽃이.

무지개 염색집

작녹 열매가 탐스럽다. 까맣게 익었네 마치 포도나 머루처럼.
개울가 뚝에 지천이다.

봄에 잎이 나오면 넙적한 잎을 따서 살짝 쳐 된장에 쌈 싸
먹었다. 울 할배는 고향에 서 먹었다며 독초이나 봄엔 괜찮
다며 드셨다. 나는 항상 이른 봄에 먹어본다. 정말 맛있다.
잎과 줄기를 삶아서 천에 물을 들였다. 열매는 따로 모아 즙
을 내어 끓이지 않고 색을 내고 얼마나 이쁜지 머루색인 듯,
보라색인 듯 까마잡잡 예쁘다. 머루는 머루대로 색을 내봤다.
삼 일 정도 담그고 또 말리고 10번 정도 반복했다. 연한게
이뻐보여 3일 한 것도 있다. 얼른 말려서 옷을 만들 생각이
다. 벌써부터 설렌다. 어떤 꽃을 놔야 할지 코스모스를 상상
하며 가을을 맞이해 본다.

맹꽁이

달빛 기우는 언덕 위에 초가집 지붕 위 늙은 호박이 익어간다.

다소곳한 아낙이 호박전에 침이 고이고 쫀득쫀득 호박전은 맹꽁이 좋아한다.

머루주가 익어가나 싶으면 아들이 온단다.

맹이의 생일에 두 손 가득 선물을 안고 며칠 있음 울 아들이 온단다.

그 날을 손꼽아 그려보네.

아들

한참 클 나이에 밥그릇에 밥은 줄고 앙상한 가지만 남은 체
아이들은 커간다.
밥 한번 배불리 먹여본 적 없는 두 아들을 보며 눈시울을
적신다.
쓰레바 한 켤레가 봄 여름 가을 겨울을 버티고
엄마 얼굴만 보다 잠이 들고
엄마 눈만 보다 한 해가 간다.

가을이 온다

별들에게 물어봐
달들에게도 물어봐
사랑이 숨쉬는 이 거리에 봄이 오냐고
바보야 봄은 가고 여름도 가고 가을이 온다니까
벌써 매미가 떠나고 나뭇잎이 곱게 물들일 준비를 하잖아.
가을은 어수선하잖아.
낙엽이 떨어지면 괜스리 눈물이 나고
차가운 바람이 불면 괜스레 쓸쓸해져
왠지 우수에 젖어버리지, 금세.

난 몰라요

사랑을 몰라요, 모른다니까요.

사랑을 하기 전에 어른이 되어버린 내 사랑은 어디에 숨어
숨바꼭질하제요.

요기 숨었다, 까궁 해도 눈치 없이 지나 버리고

조기 숨어서 깡꿍 해도 모르고 지나가요.

언제나 나는 사랑을 기다려도 아직도 못다한 사랑을.

길목에서

잡초만 무성한 옛집 앞에서 잠시 서성거려본다.
안주인에 따라 집 구석구석 빛이 난다.
여기였나 저기였나
된장 항아리가 눈에 쌓여 옹기종기 모여있던 곳
기와집 석가레 넘어 와송이 피었구나.
담 귀퉁이 쥐구멍이 자리를 잡고 두더지가 텃세를 하네.
마당엔 쑥대밭이 왠말인가.
알리 없

거리에서

갈대꽃이 무성이도 피었구나.
비바람이 부는구나. 비가 오려나.
오색천이 너풀너풀 춤추는 개천에
개울가에 텃밭에 김장 배추가 손바닥만 하게 자리를 잡고
너가 먼저냐 네가 먼저냐
도토리 기캐기에 바쁜 가을 무우가 잘났다 뽐낸다.
포도나무 잎이 벌써 단풍 드는 게 가을이 오려나 보다 아마
도.

사촌동생 환철에게

사촌동생 환철이 마음이 아픈가 보다. 그 많은 사촌들 가운데 환철이 책을 사서 선물 하나 보다. 솔직히 너는 내 등에 업어주지도 못했단다. 태어나서 잠시 말고는 내가 식모살이로 객지에 떠돌다 어쩌다 고향인지 할매가 그리워 갔건만 훌쩍 커버린 총각이 다 된 너를 봤지. 어찌나 어른스럽고 느물느물하던지 예사롭지 않았단다. 착하고 순한 너와 우철이가 항상 마음에 걸렸었지. 누나의 책을 보고 마음이 아파서 울었구나. 목이 메여 전화통화를 못하고⋯⋯에그.
보내준 김치통 선물과 자두를 고맙게 받았구나. 내 인생이 헛되지 않음은 네가 있기에 이 세상은 빛나구나! 잘해주지도 못했고 못난 모습만 보여주어 항상 미안했단다. 형제가 없는 나는 네가 내 친동생처럼 예뻤단다. 이제는 너와 내가 기로에 서서 흰머리도 날 반김은 핏줄이기에 마음이 애리구나. 아직도 건강치 않은 모습이 안타까움을 자아내고 누나들 틈에서 징검다리가 되어 예쁜 가정을 이루며 사는 너의 모습이 장하구나. 너무 아파 마라. 누나는 잘도 살고 있어~

무지개 염색집

무지개 개울에 비추는 오색천은 무지개 다리를 만들고 맹이 가 춤춘다. 아예 여기서 자고 논다. 집에는 안 간다. 가야지. 주막집은 어쩌고. 듬북이 난리다. 밥 달라고. 꽁이가 난리다. 집에 가자고. 요즘에 맹문동 꽃이 예쁘다. 벌들이 모이고 오 늘은 맹문동 주를 담았다. 꽃을 따서 막걸리에 동동 띄우고 가래잎을 모아 오색집에 색을 낸다. 온 손에 추자물이다. 호 두과의 열매인데 굴포천에 몇 그루 있다. 물도 잘 들고 색도 괜찮다. 검은색도 아니고 갈색을 낸다. 안주는 맹문동을 따서 전을 부쳤다. 화전이다. 찹살 반죽에 동그란 화전이다. 내일 은 수제비를 하련다. 감자를 갈아서 밀가루 조금 넣고 반죽 하여 비 오는 날에 굴포천 식구들을 살 찌우련다. 수제비 드 시러 오셍. 감자도 넣을거에요.

비 오는 날에

비가 오나 눈이 오나 자전거 하나에 몸을 싣고 일터로 나간
다. 추운 날은 밤새 오환이 오르고 한 여름엔 비가 와도 신
난다. 춥지 않으이. 인천 시내를 반 평생을 돌며 일을 다녀
도 왜 그리 신이 나는지 모른다. 음악을 틀고 달린다. 노래
를 부르며 기분 좋으면 신나는 음악을, 슬플 때는 슬픈 음악
을. 그렇게 지내온 세월만큼 주름만 늘어 간다. 오늘은 신나
는 걸 틀고 달리련다. 가자~아자~

두 아들을 그리며

용화사 담에 붙어 담쟁이 넝쿨이 되어 울고 싶어라.
아들을 그리며 울다 울다 겨우 잠든 나를
새벽 종소리에 단잠을 깨우고
부처님 전에 엎드려 울고만 싶어라.
훗날을 기약하며 보내 온 수많은 날들 중에
피눈물로 얼룩진 과거사에 목 메여 울지 않으리.

고추잠자리

덕유산 꼭대기에 마을 한가운데 연못 위는
붉은 고추잠자리가 떼지어 놀고 골고!
손가락 하늘로 세우고 붙어라 붙어라~하며 고추잠자리가 손
끝에 앉았다.
요기 요기 앉아라~하며 뛰어 가다가 연못에 빠지면 못 나오
지롱.
어찌나 깊은지 죽어도 모른다.
얘들아 그땐 고추잠자리가 가을 하늘을 수 놓았는데
지금은 굴포천에 몇 마리만 물 먹으러 왔더라.

용화사에서

졸린 눈 비비고 새벽 3시에 용화사 촛불을 제일 먼저 키려고 달려간다. 맑은 물 한 주전자에 법당을 돌며 물그릇을 체우고 수없이 많은 영가들 앞에 촛불을 킨다. 100여분의 스님들과 어깨를 나란히 하고 한 시간의 불공이 이어진다. 어쩌다 용화사 딤 밑에 둥지를 튼게 다행인지. 아이들을 두고 헤매이다가 부처님이 이곳에 머물게 하였나 보다. 눈물을 흘리며 불공이 끝나면 정지에 나가 그릇을 씻는다. 나의 더러운 마음을 씻었나 보다. 그렇게 수 년을 보내다 우리 맹꽁이를 만났다. 인연인가 악연인가 모르지만 내 옆에 잠들어 있다. 맹꽁 맹꽁이.

잊을 수 없는 사람

눈 감으면 떠오르는 희미한 그림자
어슴프시 생각 나는 사람 그 사랑
손 내밀면 사라지고 잡으려면 흩어지는 사랑, 내 사랑.
눈을 뜨면 안개 되어 사라지는 사랑, 내 사랑.
달려가면 바람 되어 저만치 날아가버리는 사람 그 사람
잠이 들면 생각나는 잊을 수 없는 사랑, 내 사랑.

버섯

가을비에 찬 바람이 일면 구천동 골자구니에 버섯이 지천으로 나더니 할배의 망태기에 보물이 가득 뒤안에 시암가엔 싸리버섯이 널브러져 끼니를 기다리던 때가 그립습니다. 싸리버섯 밤버섯 느타리랑 송이는 낙엽에 쌓여 숨겨와 장날에 빛을 보았지. 근질근질 싸리버섯이 왜그리 맛나던지 꿀꺽. 입맛 없는 오늘 먹고 싶어라.

동생들을 그리며, 등꽃

내 등의 등꽃이 되어 피어 올랐던 사촌동생들의 가지각색의
꽃들은 어느 곳 어느 세상에서 피고 지며 살아간다.
가지각색의 성격 속에 꺾이지 않는 강인한 힘으로
버티고 버텨온 내 등에 매달리며 커 온 내 꽃 새끼들은 내
등을 벗어나 나를 잊은 체 살고 있다. 그래도 나는 잊지 못
하네. 등꽃을

너구리

너구리 울음 소리가 들린다. 들개들의 합창인 듯 시끄러운 갈산천이 울부짖는다. 구찌 내 강아지가 고개를 갸웃거린다. 강아지 울음 소린 듯도 하고 오라고 해도 너구리는 도망가면서 울어댄다. 성질이 더럽다. 다행인건 잘 있단다. 우리 집 마루 밑에 잠자는 너구리 보다 작다. 다 자란 건지 모양세가 똑 같아서 모르겠다. 구찌는 신이 났다. 아마도 구찌랑 싸우면 너구리가 이길듯 싶다. 탱자나무 울타리 사이로 넘나드는 저 달도 해가 짧아졌나 이네 기울고 주거니 받거니 속삭이던 별들도 잠든 밤에 잊어야 할 사람 보내야 할 당신이 그리운 밤이다.

잊지 말아요

세상을 잊은 그대여 세월을 잊은 그대여
계절은 잊은 그대여 길을 잃은 그대여
다 잊어도 부디 날 잊지는 말아요, 잊지 말아요.
세월이 흘러 흘러서 나이가 들었나 봐요.
해와 달과 바람이 스쳐지나 가고
구름이 눈을 덮쳐도 날 잊지는 말아요.

일상 속에서

일상 속에서 일어나는 작은 일들이 나를 설레게 하고 나를 슬프게 하고 나를 아프게 한다.

무심코 걷다가 나무에 거미줄이 잠자리랑 나비랑 붙잡혀 죽어간다.

슬프지 매미가 허물을 벗고 나무에 붙어 엉엉 울어도 슬프고

콩이냐 메주냐 떠들어 대던 가을도 슬프고

낙엽이 구르면 왜 구르냐고 물어봐도 소용이 없고 겨울이 온다.

지푸라기 뒤집어 쓴 허수아비가 난리다.

대리운전

청천동 살 적에 일이다. 맹꽁이가 하도 속을 썩여 대문, 현
관, 방문을 걸어 잠그고 귀마개를 하고 잤다. 맨날 새벽에
들어오는 것도 모자라 이제 아침에 온다. 멀쩡한 얼굴로(술
에 취해 오면 그러려니 하지만) 벌써 10여년이나 지난 일이
다. 대문 소리가 너무 커서 깨어 보니 새벽 3시에 맹꽁이가
씨발년아 문 열어 개년아 문 안 열어 다. 이제 맹이가 간이
부었다. 중학교에 다니는 딸은 벌벌 떤다. 둘은 부둥켜 안고
벌벌 떨었다. 가만히 있지만 대리운전 기사 아줌마가 떠든다.
아저씨 제가 이런 말 까지는 안 하려 했는데 아저씨 숨겨
놓은 돈도 있고 차도 얼마짜리고 집도 몇 채고 보너스를 타
지만 순진한 아내는 모른다나 차 안에서 떠들어 대더니 그
리고 아저씨 혼자 타고 집으로 오시면 만원인데 한 시간을
넘게 이 친구 내려주고 오다가 저 친구 내려주고 대리비는
우리집에 마누라가 현금이 있다며 떠들어 대다가 이게 뭐냐
고. 은행가서 찾아주세요, 아저씨~대리기사가 말하니 가만히
있는 맹꽁이 수상했다. 아저씨~또 말한다. 내가 우리 신랑하
고 이혼하려 했는데 아저씨 때문에 안 할래요. 사모님 아니

아주머니한테 잘 하세요. 보아하니 아주머니 속 많이 썩고 사네요. 애인도 있으시잖아요. 얼른 돈 주세요, 3만원. 그 얘길 듣고 내가 안 나갈 수가 없었다. 5만원 챙겨서 나갔다. 맹꽁이 말한다. 야, 왜 이제 나와 씨발년아. 나는 미친척하고 아주머니 안녕히 가세요~집으로 들어온 맹꽁이 나를 때린다. 남편을 망신 주었다고 그날 밤 나는 원 없이 맞았다. 대리기사 아주머니 감사해요. 그 이후로 대리운전 부르는 게 한 달에 한 번으로 줄었어요. 친정이 없기에 수없이 무시당하고 살아온 세월 속에 피맺힌 영혼은 자식이 뭔지 담을 넘지 못한 체 앉은뱅이가 되어 살아야 하나. 가슴에 돌덩이를 안은 체 살아가다가 병이 되어도 탓할 수 없는 사연을 그 누가 알리요.

이슬

날 보며 싱글벙글 웃던 내 님이
부끄러워 고개 돌려 보지 못하던 그 님이
어느 날 말 없이 노을 되어 사라지고
보고파 애태움을 알기나 하였는지
아침에 이슬 되어 날 반기네.
내 눈물 하나되어 내 가슴에 머무네.
곱던 내 님이.

보고 싶은 얼굴

이해할 수 없는 얼굴 하나가 내 가슴 속에 남아있네.
동그란 얼굴 하나가 내 가슴 깊이 박혀있네.
서글픈 모습의 모습이 떠오를 때면
괜스레 눈물이 나고 텅 빈 가슴 안고 거닐다가
바보 같은 얼굴 하나를 그려보네.
물 위를 보며 떠올려 보네.

생일

와~우리 강아지 생일이다. 부모님 생일을 달력에 크게 동그라미 그려놓고 기다린다. 이제나 저제나 기억하겠지. 케익도 있으려나? 아니 촛불 키고 축하 축하 노래를 하려나 미역국도 끓여야겠지. 음식도 장만해서 오가는 반겨야겠지. 우와~ 설레여 본다. 엄마 엄마 강아지 내 새끼 생일에 여행을 가야 하나…… 동해안, 서해안, 정동진 난리다 난리. 엄마의 생일을 까먹었나 보다. 서글프다. 부모는 나무라지 못 하지. 부모는 해줘도 해줘도 모자란데 자식 생일 한번 챙겨주지 못하고 내 생일에 뭘 바래. 케이크에 촛불이 강아지 나이에 맞게 켜진다. 너는 생일도 받고 좋겠다.

제사

내 강아지 뭉치 기일이 한 달 남았네. 양력인가, 음력인가. 간식을 챙겨야겠지. 아니 옷을 몇 벌 사야 하나, 추울텐데. 벌써부터 난리다. 누가, 누구가 아들 며느리 손주가 더 들떠 있다. 아비 제사가 11월 26일인데 모른다. 잘해준 게 없다나. 물려준 재산이 없다나. 겨울에 죽었는지 여름이었나. 기억엔 없다. 애미가 죽어도 기억에 없겠지! 왜그리 슬픈지 모르겠다. 슬퍼마오. 서러워 마시라구요, 인생은 한번 왔다 한번 가는데 내 맘대로 가고 오고 얼마나 좋아요. 해줘도 끝도 없는 부모의 마음과 달리 받아도 받아도 모자란걸.

사람이 그리워요.

그리움인지 사랑인지 알지 못하는 굶주린 사랑의 늑대가 되어 살다 보니 이건지 저건지 알지 못하고 살아가나 보다. 아들이 보고픈지 엄마가 보고픈지 동생의 그리움이 쌓인 건지 사랑으로 묘사하여 애가 타버린 건 아닌지. 누가 그 누가 나를 이토록 외롭게 만들었나 생각해 보지만 답은 없다. 밤이면 손발이 저려와 잠 못 이루고 가진 고생을 하며 살아온 게 후회가 되나 보다. 고생을 안 할 수가 없었잖은가. 식모살이로 떠돌다 동상이 걸려 의지할 곳 없는 나는 고모집을 찾는다. 돼지우리인지 사람이 사는 곳이라 볼 수 없었던 고모집은 내가 쉴 틈 없이 일에 헤매였다. 고모는 느리고 꼼꼼하여 일은 산더미다. 내가 감기가 심하고 동상이 심해서 조금 쉬다 오라며 보내지면 더 망가져서 왔다고 식모살이 어르신이 다시는 안 보낸 다고 난리 난리였다. 고모는 아이가 여섯인데 네 명을 내가 오가며 내 등에서 크고 나머지 둘은 모른다. 나는 손이 빠르고 일머리를 알고 고모부는 느림보다. 그래도 갈 곳이 있어 좋았다. 얼음을 깨고 손이 얼어서 퉁퉁 부을 때까지 빨래를 했다.

고백

못 씻을 운명인가.

그대를 두고 떠나야 하는 사연 알지 못한 체 끝없는 길을
가야만 하나.

고백을 하지 못한 체 가야만 하나 망설여 본다.

마지막 가는 길에 마음을 두고 가자니 발길이 멈추고

죽기 전에 딱 한번 만이라도 볼 수만 있다면 볼 수만 있다
면

아쉬운 마음을 접어야 하나

이 목숨 다하기 전에 고백하련다. 사랑했다고.

나도 모르게 사랑했었다고 고백해 본다. 나 혼자.

들꽃

외로이 핀 꽃은 비바람에 가지가 꺾이고 아침이슬이 위로하며 생기를 돋구네.

따뜻한 햇볕이 힘내라고 감싸주었네.

벌 나비 몰려와 간지럽혀 주지만 밤이면 별들의 속삭임도 잊지 않았네.

밤이슬 내릴 때 고개를 떨구다가도

물오리 날 보라고 물장구 소리에 철 없는 들꽃은 웃고 만다네.

빙그레, 들꽃이.

너를 못 잊어

헝크러진 내 마음을 바로잡지 못하고 이리저리 헤매이다 시간이 멈춘 듯 사로잡히고
이래선 안되겠지 마음을 달래여 본다.
헝크러진 생각을 바로잡지 못한 체 이곳 저곳 헤매이다가
걸음이 멈춘건 님이 계신 곳인가.
달빛 따가운 시선이 날 배웅하고 차가운 별빛이 이 밤에 흐르네.
내 볼에 흐르네.

아베

울 아베 산소에 엉겅퀴가 예쁘더니 어느덧 가을이네요. 내 딸인가 반겼더니 손녀딸이 넙죽 절하고 아버지 나를 꼭 닮았지요. 하지만 내가 더 이쁘지요? 물어보는 내가 바보지. 울 아베가 살았다면 분명히 말했을걸. 내가 더 예쁘다고. 봄에는 꽃들이 만발하더니 바람마저 어수선하구나. 예전이나 지금이나 새들 소리에 옆에 사람 말도 안 들려 언제나 이곳은 천사의 나라인가, 이승인지 저승인지 모르는 곳 인가. 새들의 합창은 아름다워라. 호루라기 새와 뻐꾸기 울음 소리는 어찌 저리 예쁜지 녹음을 한다는 게 또 까먹었네. 맹꽁은 또 빨리 가잔다. 매동에 엎드려 일어날줄 모르는 떼쟁이 맏딸은 안 간다 버티고 영철이 나비 되어 내 어깨에 앉았네. 노을이 가자고 손짓해 보지만 어림도 없다. 맹꽁이 불러댄다. 가자니까~

봄 여름 가을 겨울

살짝쿵 윙크하며 왔던 봄은 슬그머니 가버리고
불 같이 왔던 여름도 살며시 가더니
쌀쌀맞게 차가운 바람이 몰고 왔구나
가을이 그렇게 오더니
겨울이 문 앞에 와 있네, 응큼하게시리.

키다리 허선생

아이쿠 키다리 허선생님 반갑습니다. 간만에 통화는 정겹기만 하고 영부인처럼 단아한 모습에 사모님이 보고 싶어요. 언제나 허선생님 옆에 다소곳이 국화꽃 향기 담은 사모님이 있기에 언제나 빛나는 허선생이지요. 뜻이 있는 곳에 길이 있고 길이 있는 곳에 뜻이 있어요. 가는 길은 달라도 마음은 하나랍니다. 하나님의 속삭임도 부처의 울부짖음도 하나이지요. 허선생님의 뜻을 받을 수 없었기에 언제나 미안한 마음이 앞서네요. 항상 허선생님의 뜻을 존중하며 살아갑니다. 저의 뜻도 생각해주실 거죠. 가까운 날에 용문산 근처에서 봬요.

가을 들녘에서

키다리 허수아비가 난쟁이 아줌을 놀리고
고개 숙인 들판은 생쥐가 제철이네.
참새는 망을 보지만 까치는 못 본 체하고 새참엄니 발목을
걸었나
맹꽁이 한 몫 하네.
시끌벅적 황금 들판은 뜨거운데 벼 타작 할 때면 심술을 부
리네.
소나기가 얄밉게도.

욕심

거센 불길을 초가집 하나를 다 삼켜도 꺼질 줄 모르고
사람의 욕심도 채워도 채워도 끝이 없다.
요만하면 되지 하다가 저만하지 다.
의 좋은 형제 밤새 볏 짐을 서로 논에다 가져다 놓은 형제
는 날이 세자 벼가 그대로 였다.
깨달음을 얻으려 하자 죽는다.

가을 운동회

엄마, 엄마~아빠, 아빠~가을 운동회래요. 아들이 말한다. 성정이 급한 큰 놈은 숨이 넘어가고 차분한 둘째가 속삭인다. 엄마 또 잊지 말아요. 워낙 바빠서 금방 잊어버린다. 며칠다 학교가 시끄럽다. 달리기에 줄다리기에 학교 마당에 함성이 산 너머 울려 퍼지고 나는 산 속을 헤매인다. 가을비에 싸리버섯이 터벅터벅하고 벙긋 벙긋 밤버섯이 지천이네. 아이쿠 송이잖아~새벽에 산에 올라 잠깐 다녀온 다는 게 해가 중천에 떴다. 버섯은 날 오라 하고 아이들은 기억에 없다. 도시락도 못 싸주고 달리기는 꼴찌겠지. 줄다리기는 힘에 부치고 왠수로다 왠수로다. 까마귀 고기를 먹었나, 눈만 뜨면 잊어버리고 밤 새 우는 부엉이는 울 아들의 눈물인가 하여라.

약속

새끼 손가락 두 개 걸고 꼭 꼭 약속해.
엄마~엄마~엄마 10번을 부른다. 아들과 딸이
바쁜 나는 왜~왜~멀~멀~멀
연필이랑 공책이 없어요. 발이 너무 시려워요. 라고 아이들이
말한다.
응~하면 그만이다.
엄마~엄마~엄마. 숙제를 할 수가 없어요.
또 잊어버린다. 나는 까마귀 고기를 10번 먹었나 보다. 또
잊어버렸다.
아이들은 울다 지쳐 잠이 든다.
나는 멍청인가 보다. 아마도.

세 아이

나는 약속은 칼같이 지키는 사람이다. 절대 남에게 손해 보는 일이 없게 한다. 아이들에게도 이른다. 약속이 있으면 미리 나가서 기다린다. 아이들도 마찬가지다. 젊은 날에 나는 어땠는가? 아이들한테는 무관심이었다. 정말 미안하다. 너무 너무 힘들고 체력이 딸리고 먹을 게 없어서 젖을 4살때까지 먹이니 나는 백골이 되었었다. 그 누가 알리오 만은 죄를 지은 것 보다 더 죄인으로 살아가야 하나. 항상 아이들 앞에선 고개를 숙인다. 죄인이 되어.

먼 곳에 있어도

먼 곳에 있어도 느낄 수 있어요. 가까이 없어도 볼 수 있어요.

마음으로 가는 당신을 그릴 수 있고 모래알 같은 당신을 지울 수 있어요.

먼 곳에 있어도 가까이 있어요.

저 멀리 숨어도 찾을 수 있어요.

난 알 수 있어요.

당신이 날 사랑하는 걸 느낄 수 있어요.

먼 곳에 있어도 먼 곳에 있어도.

몸부림

날 부르는 소리가 귓전에 들려요.
바람에 실어 속삭여요.
얼른 오라고. 거짓말
오지 말라고 해놓고 기다리면서 가버리라고 등 떠밀더니
빨리 오라고 소리 질러요.
나뭇가지에 혼을 실어 몸부림쳐요.

난 모르겠네.

눈을 감으면 저승이요, 눈을 뜨면 이승이라.
한번 감으면 10년이요, 한번 뜨면 100년이라.
옥황상제의 계산법은 바꿀 생각이 없고
삼신할매 정한 바 없으니
멋대로 사는 세상 후회를 남겨도
거짓 없어 미련 없고
본디 없어 못 보겠네.

허무함

허둥지둥 바둥바둥 바삐 살다가 훅 가버린 내 청춘은 간데
없고
멀뚱멀뚱 눈망울만 물 위에 구르네.
호시탐탐 비집고 들어오는 세월은 감당을 할 수 없고
자꾸만 늘어나는 잔주름은 원망해 보지만
저만치 가는 세월을 잡을 수 없다네.

먼 길

간다 간다 나는 간다.

막내딸 너를 두고 안 가려 안 가려 했지만 아무도 잡지 않
구나.

빈말이라도 좋으니 더 있다 가라고 치맛자락 잡을 줄 알았
는데

불 꺼진 초상집은 오가는 행인 하나 없고

문간에 사자 밥 한 그릇 떠놓을 자손 없으니

노잣돈 서러워 마소. 황천길 가올 적에 뒤돌아 보지 말고

서러움 고이 접어 학의 혼에 실어주소.

모정

부모는 자식 앞에 평생 죄인이요. 옥중에 곡은 곡도 아니더
라.
이 세상에 천한 부모 어디 있겠냐 마는
인생은 화살 같이 흐르는 세월 앞에 장사 없고
꽃 본 듯이 널 보았고
님 본 듯이 기뻐했던
내 새끼는 기골이 장대하여 나 잘나서 사는구나.
너 나이 먹고 부모 되어 날 그릴 날 있으리라.

엄마의 노래

어디에 계시 온지 어디매 계시 온지 불러도 메아리만 들려
오고 대답은 없네.

맹자야 옥자야 부르는 뒷집 엄니는 목이 터져도 날 부르는
소리 없어 서러워 눈물짓네.

옥히가 젓 달라 울어대도 응애 응애 바위에 부딪쳐 약을 올
리고 머루 따오마 울음 따오마 재 넘어 가신 엄마 소식이
없네. 남 몰래 부르다 부르다 목이 메이고 왠지 어색한 엄마
의 노래를 불러 본다네. 예순이 넘어서 엄마, 엄마, 우리 엄
마.

사모곡

찔레 따주랴 울음 따다주랴

재 넘어 가신 엄니 아배 아배 울 아배가 산딸기 따준다고
울음 달래도 구수한 엄마의 냄새가 그리워서 눈물 짓네요.
뽀글뽀글 빠글빠글 엄니 머리가 나무 뒤에 그림자 되어 숨
바꼭질하제요.

눈 감으면 달 그림자 되어 내 뒤에 서 있고 눈을 뜨면 무지
개 넘어로 날 오라 해요. 할매가 독한 년 망할 년 놀려대도
난 엄마가 좋아요, 좋은걸. 매정하게 떠나버린 나의 엄마를
못난 나는 잊지 못해요. 어쩌면 좋아요. 못난이를.

오리 삼형제

- 노래 혜선

날 저무는 개울가에 오리 삼형제
엄마 엄마 우리 엄마 어디로 갔나 목 터져라 부르다가
막내는 잠이 들고 뜬눈으로 기다려도 엄마는 오지를 않네.
해 저무는 개울가에 오리 삼형제
엄니 엄니 엄니 엄니 우리 엄니 보고 싶어라.
어쩌다가 어쩌다가 꿈에서 본 엄마는 막내를 못 본체 하고
등 돌린 엄마 옆에 이복동생 눈초리가 매서워라.

변해가는 세상

정성 들여 진지상 물리옵고 입가심으로 식혜 한 사발 간 곳
없구나.
친정집 제삿날은 잘도 기억하고 시아버지 제삿밥은 간 곳
없으이……
닥닥 긁은 가마솥에 누룽지 침 넘어가고
부모님 생각에 물 한 모금 목 축이던 아 옛날이여.
아침상 물리옵고 감주 한 사발 간 곳 없고
강아지 밥 준다고 명절날 못 오는 며느리가 처마끝에 고드
름 되어 눈물이 흐르네.

엄마가

달을 따다 주련 별을 따다 주련
복남이네 엄마가 늘 부르는 노래
왠수 왠수 호랑이가 물어갈 년
울 엄마가 부르는 노래
불면 꺼질라 은을 준들 너를 사랴, 금을 준들 너를 사랴.
뒷집에서 부르는 정복엄마의 노래
안고 보자 업고 보자 어화둥둥 내 새끼야
정지에서 불러주던 할매의 노래.

북동집

눈 덮인 북동집 뽕나무 밭에
엄동설한에 맨발로 쫓겨나 망부석이 된 체 서 있다.
뜨끈 뜨끈한 아랫목엔 나그네 웃음 소리가 깽매기로 들리고
엄마의 웃음소리는 깨어진 징소리인가
동생의 울음소리 천둥이 치고
재 넘어 절간의 쇠북소리 새벽종 울리네.

가을

오색등 불빛 아래 꺼져가는 가로등은 누구를 기다리나
밤이 되면 오시려나
맹꽁이 길마중 하고 제법 찬 바람에 옷깃을 여미네.
오색천 나붓기는 실개천의 불빛이 나를 유혹하는 밤
철길 넘어 고개 들고 손짓하는 갈대가 붉은 꽃을 피우고
마지막 동백꽃이 찬 서리에 고개를 떨구네.
이네 가을인가 하여라.

북동집에서

- 나 어릴적에

북동집 굴뚝 위에 길고 긴 나무 토막 위에 아버지랑 앉아있다. 아버지는 동생을 안고 우신다. 엄마는 가고 없고 내 나이 5살 겨울에 기억이다. 옥남아~잘 들어라. 나에게 무슨 일이 생기면 동생을 지켜라. 나는 생각에 잠긴다. 나보다 더 큰 동생을 어찌…...아버지가 아프다. 할매집 가는 길이 멀고 멀다. 20리를 걸어 할매집에 오는 동안 개울에 물을 윈 없이 드시는 울 아베……그날부터 전쟁터였다. 아버지는 이른 봄에 이혼을 하시고(그 옛날인데) 60년 된 이야기지. 이제는 생각 말아야지 하면서 되새긴다. 털어버리자고 다짐해 본다. 매일 매일 젓 달라고 울어대는 동생 때문에 아베가 미쳤다. 밤낮으로 산을 누비고 굿은 매일 한다. 할매는 떡쌀을 매일 담그고 고모 할머님 둘은 매일 오신다. 추석이 되니 옛 생각에 흠뻑 젖어 울 아베를 그려 봅니다. 제사상은 받으셨지요. 물어본다. 아베에게……

촛불

꺼져가는 촛불 앞에 나는 서 있다.
때론 잘 타다가 바람에 흔들리기도 하고
조용한 날에 열 받으면 잘도 탄다.
누가 건들지 않으면 이 생명 다 하도록 탄다.
까불까불 까불어대기도 하고 춤도 춘다. 너울 너울
꺼져가는 촛불 앞에 서 있지만 다 타버릴 때까지
불꽃을 피우리라.
영원히 촛불 되어.

목석

말 없이 서 있는 나무는 엄청난 비밀이 숨어 있다.
옆에서 벗나무가 재잘대지만 그 속을 알 수 있다.
말 없이 서 있는 고목은 엄청난 생각을 하고 있다.
말 없이 서 있다가 본인이 느낀대로 생각하고
나의 생각만큼만 내 기준에서 남을 생각한다.
그래서 말 없는 뽕나무 때문에 분나무가 화가 났다.
벗나무는 목석이 되었다.

길 잃은 철새

저녁바람 차가운데 갈 곳 없이 떠도는 철새는 어디로 가야
하나
하염없는 방랑길에서 헤매여 보지만
오라는데 없고 받아줄리 없는데
청승스리 불러주던 슬픈 노래는 찢어진 내 마음 같구나.
조용히 흐르는 저 달빛은 어디로 가는 걸까
기러기 벗 삼아 달빛 따르고 나도 따라 가야 하나.
오늘따라 유난히 밝은 저 달 속에 묻히고 싶어라.
쪽달 속에 오늘밤 저 달은 찢어진 내 반쪽 같구나.

정서진

비 내리는 정서진에 어둠이 깔리면 밤마다 논개 방개 칠개
의 숨바꼭질이 펼쳐진다.
애기 낙지가 고개를 내밀어 보지만 보는 이 없고
멀어져 간 바다는 올 줄 모른다.
핏빛 그리움에 쌓여진 사랑은 파도에 부서지고
조개들의 옛 이야기는 밤새 속삭인다.
갈대 숲에 숨은 사랑은 새들의 합창인가
떠밀리듯 밀려오는 파도의 설움은 고독을 부르고
비 내리는 정서진에 외로운 그림자.

나를 찾아서

꼭꼭 숨어라 머리카락 보일라 혜선을 찾았다.

어디에서? 내 안에서 나를 찾다.

꼭~꼭 숨겨놨던 내 안에서 나를 꺼냈다.

머하게 꺼냈게? 겁쟁이 멍청이 개구쟁이 고집쟁이 맹꽁이를 꺼내어 본다.

할부지와 어느덧 닮아버린 감추고만 싶은 나의 손도 꺼내고 손끝 발끝이 동상에 얼병이 들어 찌그러진 손톱 발톱에 예쁜 복숭아 물을 들여봤다. 곱고 고운 댕기는 울 할배가 들이고 새로 사온 부츠를 꺼내어 신어 본다. 짧은 미니스커트를 입어 보지 못했기에 긴 치마를 싹뚝 잘라서 입어봤답니다. 미친년처럼 이 거리 저 거리를 걸어보지만 갈 곳은 없고 희미한 가로등 불빛만 깜빡인다. 이 도시의 주인이 되버린 고양이 가족이 한가로이 졸음을 이기지 못하고 노부부의 잡은 손은 부럽고 부러워라. 애써 나를 꺼내어 봤지만 찾는 이 없고 보는 이 없으니 도로 나를 숨겨야겠다. 꼭꼭 숨겨야지 아무도 찾지 못하는 저 세상에다. 아마도 아무도 찾지 않겠지. 모를 거야. 내가 없어져도 모를 거야.

이수일과 심순애

- 장난꾸러기

내가 병원에 거의 일년을 있던 적이 있다. 지루한 나는 병원 복도를 거니는데 환자의 이름이 이수일이었다. 어찌나 웃음이 나는지 늦은 밤에 잠은 안 오고 복도에 앉아 수일을 놀려먹기로 했다. 발 깁스를 한 나이가 비슷한 분이었고 내 나이가 제일 젊었기에 언니들의 농담이 재미있었다. 언니 저기 저 분이 이수일이래요. 간호언니가 수일씨 했어요. 음~지들러 장난기 심한 발 다친 계산동 언니가 심순애. 너 언제 퇴원하니 라고 나에게 말했다. 다른 언니들도 야~순애야 하니 수일씨가 귀가 번쩍 하여 지팡이를 짓고 오시더니 누가 심순애냐고 하신다. 얘가요~왜요~엉뚱을 떤다. 수일이 말한다. 육십 평생 살았지만 심순애는 못 봤다고. 횟집에 전화해서 회 두 사라 시키고 맥주가 왔다. 나는 거짓말이 탄로 날까봐 전전긍긍하는데 언니들은 잘도 먹는다. 나를 보지 못하는 수일은 여자병실이 이름조차도 관심 없다. 며칠이 지나 내가 집에 다녀오는 일이 생겼다. 빨리 오라고 언니들이 말한다. 왜요 왜요. 수일씨가 퇴원하는데 편지를 주고 갔어. 전화번호와 길고 긴 편지 속에 순애씨를 잊을 수 없다고 기회가 되

면 다시 한번 만나고 싶다고. 죄송해요. 제가 전화를 드릴
수가 없었답니다. 수일씨 아름다운 꿈이 사라질까 봐. 저는
서둘러 퇴원을 했고 간호 언니 말은 수일씨가 왔었다고.

거리에서

늦은 밤 딸 아이의 옷을 훔쳐 입고 거리로 나섰다. 카페에서 비 내리는 창 밖을 보며 창 밖으로 코스모스가 하늘거리고 커피 한 잔을 시켜놓고 알지 못하는 음악을 듣는 척 해본다. 어느 노신사가 내 쪽으로 온다. 엥 어쩌냐 아구구 예뻐라. 신발도 신었네. 나에게 하는 말인가? 아니 강아지가 예뻐요. (애견카페거든) 얌전하게 잘 앉아있네요. 날 좀 보라구요. 속으로 말한다. 우리 강아지는 멀리 보냈는데. 신사는 더 이상 나에게 관심이 없다. 우리 구찌는 커피 반 잔을 비울 때까지 시선이 많다. 비가 오는 거리에서 서성이다가 꾸어보지 못했던 꿈을 꾸어본다. 내가 지은 책을 옆에 끼고 왠지 유식해 보이겠지 하며 걸어본다. 아마도 이 짓을 꼭 한번 해보고 싶었다. 나는 왜 이제야 이 짓을 하고 있을까. 누가 뒤에서 우산을 받쳐주면 영화 속 주인공이 된다. 어린 시절 꾸지 못했던 이수일과 심순애도 해봐야지. 혼자서 하염없이 걸어가 본다. 먼 길을.

맹꽁이 엄마 장례식 날에

맹꽁이 엄마가 돌아 가신지 23년 됐다. 그 날이 그날이 잊을
수가 없다. 돌아가시기 전에 계속 지방을 오가다 장례를 치
뤘다. 참으로 냉정한 분이었다. 경상도 영해가 친정 나에게
눈길 한번 준 적 없다. 어화둥둥 막내딸 꽁이를 낳아서 업고
갔는데 옷 한 벌 안 사주고 와이리 넙적하노 안아보지 않으
셨다. 장례는 돈을 아끼려 집에서 치뤘다. 12월 말에 돌아가
시며 얼마나 추웠는지 차가운 물로 막내 낳은지 7개월 만에
조리도 못한 나는 손이 꽁꽁 얼며 미리 사간 진통제를 먹고
일을 했다. 진통제를 먹으니 젓이 나오지 않았고 허기가 진
딸은 시 작은엄마가 밥을 꾸역 꾸역   먹이는 바람에 설사
가 안 멈추고 시내가 코 앞인데 병원은 커녕 약도 못 먹이
고 맹꽁에게 말하니 술이 취해 모른단다. 잠도 못 자고 굴비
는 하루3번 쪄야 하고 제사는 3번 지내고 친지들과 동네 분
들 밥을 해 대느라 쓰러지기 일보 직전까지 갔다. 아무나 붙
잡고 아이가 아프다고 해도 듣지 않았고 맹꽁은 잠도 안 자
고 술만 먹었다. (상주들도 요령껏 자 가며 먹어가며 해야지
즈 사촌 귀분이 누나가 하는 말) 따가운 눈초리로 맹꽁을

바라보고 시 작은엄마가 자네의 앞날이 걱정이네. 애는 왜 낳는가, 그 말 뜻을 몰랐다. 시누이 셋은 방으로 쏙 들어가면서 굴비도 나물도 밥 떠놓을 때 마다 다시 해요. 라며 들어갔다. 아~나는 이 집에서도 천덕꾸러기구나. 장례식 때까지 하루 3번 밥상을 올리는데 돌아가신 분에게 올리는 밥상은 제삿밥상이다. 일을 잘 하는 나는 척척 해냈고 시누들은 일거리를 그냥 주는 게 아니다. 다라에다 담아서 발로 툭툭 쳤다. 괘씸하지만 제가사 끝나면 다신 안 보리라 했다. 지금 그 시누들이 잘 사냐구요? 아니 풍지박살났다. 아이를 안고 하늘을 보고 울었다. 내 목숨 다하여 낳았는데 아이를 잃을 수도 있겠다 싶었다. 내 딸은 위로 폭포처럼 토하고 변은 폭포처럼 솟는다. 장례를 마치고 인천에 왔는데 아이가 힘이 없다. 응급실로 갔는데 악성빈혈에다 탈진에다 할 말이 없었다. 울 기운도 없어 못 울고 헉헉거린다. 그 이튿날 의사가 하는 말이 빈혈약을 안 먹이면 장애를 일으킬 수 있단다. 나는 맹꽁이 하나도 건사하기 힘들었고 돈은 집사고 차 사는데 다 썼다. 내가 악성빈혈인데 딸을 낳았고 영양실조에 어지러웠다. 그 이후 퇴원해서도 빈혈약을 못 먹였다. 내가 쓰려져서 더 이상 가정을 꾸릴 기력이 없었다. 맹꽁은 사람을 초대하여 빚을 내여 삼겹살에 술 파티를 하고 나가서 먹고 집에서 먹고 살림 부수고 노상병뇨에 나를 때린다. 술 먹으면 잠이 안 온다고 잠투정을 한다. 나는 다독여서 재웠고 그게 안되면 졸릴 때까지 화풀이를 한다. 니년 때문이다. 뭐다. 어머님이 살아계실 때 시골에 가면 나를 때렸다. 가족이 보는데서 왜 그러냐고 물었다. 내가 장가도 못 가고 늙는다고 가족들이 그랬는데 좋은 여자도 만나서 돈도 있고 여자를 꽉 잡고 사는 모습을 보여주려 한다고 했다. 나는 두 번 이혼은 없다 했기에 너를 잡고 살련다고 나는 억장이 무너졌으나 나의 팔자다 생각하며 참고 살았다. 결혼한지 30년이 다 되었다. 나는 최후의 결정을 하려 한다. 2023년 9월 추석 연휴가 길고 길다. 6일을 술을 먹는다. 6일 중 3일은 안 씻는다. 기분이 내키면 술에 쩌든 썩은 입으로 뽀뽀를 하잖다. 김치 담는 나에게 고래고래 소리 지른다. 에이 씨발년아 개같은 년아 네가 여자냐 남자지 하며 싸대기를 때리며 발로 찬다. 쌍커풀하고 실밥도 안 풀었는데. 요 몇 년 고분고분하니 덜 때렸더니 요 년봐라. 나는 더 이상 피할 곳도 없다. 화가 난 나는 구찌를 데리고 나갔다. 얼마나 화가 났는지 토한다. 지쳐서 쓰러졌다. 구찌가 얼굴을 핥는다. 깨어났다. 나는 이제 혼자 살련다.

상처

고름 짜내듯 지난 날의 아픈 추억을 끄집어 냈다. 옷소매를 적시어 보았다. 흥분을 가라앉히지 못 하고 울먹이며 글을 써내려 간다. 쓰면 쓸수록 나무껍질 되어 나의 한이 벗겨진다. 아픈 상처도 서서히 가라앉으며 후련하기 까지 한다. 머지 않은 날에 가게 될 무지개 넘어의 세상을 보게 되겠지. 웃으며 부모님을 볼 수 있을 것 같다. 내 부모님을.

두려움

내가 네가
아아니 내가
이 세상에다 할 말이 많았나 보다. 아마도.
어떤 사람은 좋은 부모 만나서 호의호식하며 잘도 살고
좋은 신랑 만나서 잘도 사는데
나는 왜 어쩌라고 어찌하라고 요 모양 요꼴로 살아야 하나
원망도 해보고 소용 없는 일이다.
하지만 힘들었노라고 힘껏 소리 내어 외쳐보았다.
늙어가는게 겁이 났나 보다.
자꾸만 작아지는 어깨가 겁이 났나 보다.
늙었구나 싶을 때 인정하기 힘들었나 보다.
아마도.

무지개 염색 공장

갈산천 사거리에 염색 공장이 문을 열었다. 당연히 맹이의 공장이다. 여사장이다. 구찌 엄마로 불리는 맹이는 바쁘다. 주막집에 직원을 두고 또 염색 공장을 차렸다. 맹꽁이 주막집은 맹꽁이 운영을 한다. 술은 술은 맹이가 담그고 갈산천 사거리 큰 개울가에 오색천을 물들여 긴 빨래줄에 널어 놓으면 무지개처럼 예쁘다. 무지개는 금방 사라지지만 오색천은 갈산천과 굴포천, 청천천, 부천천을 수를 놓는다. 큰 가마솥에 풀잎을 끓여 물을 들이나 하면 꽃 색깔 그대로 살려서 천에 물을 들인다. 백반을 넣거나 소금을 넣어 색을 들인다. 직원은 백일홍, 너구리, 천둥이, 오리, 까마귀 순사도 퇴직하고 왔다. 까치 형사도 외눈박이도 거든다. 외다리 황새도 두루미 우체부도 퇴직하고 왔다. 닐리리 맘보만 외치는 족제비도 왔다. 요즘엔 칡꽃이 예쁘다. 소쿠리에 칡꽃을 따서 삶는다. 색깔이 얼마나 예쁜지 자주색도 나고 붉은빛도 나고 보라빛도 나고 천을 말려 다리미질 하여 수를 놓았다. 박꽃을 국화도 민들레도 수를 놓았다. 칡잎도 삶았다. 초록색이 예쁘다. 굴포천, 산곡천에도 꽃들이 만발하여 들국화를 딸 생각이다. 가을 코스모스도 봉숭아도 노오란꽃, 분홍꽃, 자주꽃 어여뻐라. 손톱에 물도 들여야지. 굴포천이 살아있는 한 무지개 염색공장은 번창할 것이다.

쥐굴 소굴

나의 집은 아궁이가 허물어지고 두더지는 신이 났다. 덩달아 생쥐가 신이 나고 뒷방 가득 연기는 숨을 못 쉰다. 뒷동산 진흙은 마르지 않아도 왠수는 남의 집 아궁이만 고친다. 토끼 같은 새끼도 여우 같은 마누라도 아랑곳 없다. 왠수. 그저 담소가 좋고 주머니가 두둑하니 놀기 좋아라. 식구들 걱정은 아랑곳 없다. 재 넘어 잔칫상만 보인다. 머리에 뭐가 들었나 보려 하지만 볼 수가 없고 생각과 마음이 이미 먼 곳에 있다.

계절을 보내며

꿈을 안고 봄이 왔건만 짧은 봄이 가려 하고 여름이 오나 했더니 가을의 문턱에 서 있다. 낙엽 지는 거리에서 서성여 보지만 축 처진 어깨 넘어로 겨울은 온다. 낙엽을 밟으면 괜스레 눈물이 나고 차가운 바람이 몸 속을 파고 들면 하이얀 기분에 울고 싶어라.

오색공장

무지개 오색공장에 먼동이 트면 듬북이, 족제비, 두루미, 튼튼이 수달, 천둥오리, 거미 가족, 맹꽁이 실공장도 천공장도 바쁘다. 어젯밤 도토리 나무와 껍질로 천을 물을 들였는데 덮어 놓지 않아 비를 맞았다나 어쨌다나, 싸움, 싸움이다. 그래 내가 잘못했다. 맹이가 힘이 빠져 기운이 없어 공장을 둘러 보지 못하고 쓰러졌다. 됐냐 됐어~소리 소리 지른다. 목화를 채취하여 씨를 빼고 실 뽑는 틀에다 씨를 뽑는다. 옛날에 7, 8살 때의 베 짜는 모습과 실 빼는 모습을 본 게 다지만 공장을 운영할 정도는 된다. 실을 뽑아 물을 들여 오색실을 만든다. 거기도 거미의 실 뽑는 기술은 정말 대단하다. 이러다 맹이가 큰 부자가 될 듯싶다. 오늘은 식구들을 배불리 먹일 참이다. 그래봤자 메밀전에 감자전이다. 막걸리도 있지용, 다래주래용.

오색집의 하루

오색천이 나붓기는 갈산천이 오늘밤 나를 유혹한다. 비가 온
다구요. 온다니까요. 그래도 천을 걷을 생각이 없다. 살짝 비
를 맞추런다. 어떤 얼룩이 질지 그 또한 멋진 색이 탄생할
듯싶다. 무지개 오색집에 보쌈을 삶는다. 배추김치를 햇고추
를 갈아 넣고 찬밥 덩어리를 갈아 넣고 담았다. 맛있다. 벌
써 난리 났다. 막걸리 파티도 하련다. 인진쑥주다. 여름엔 좋
은 음식이다. 속앓이나 입맛을 돋아주며 간에 좋다. 보쌈은
묵은지에 겹겹이 재워 항아리에 넣었다가 삶았다. 돼지고기
는 찬 성질이다. 여름에도 좋다. 맛있다고 난리 난리다. 특히
울 맹꽁이 잘도 먹는다. 더 먹으라고 소리소리 지른다. 맹이
가.

내 님이

빙그레 웃던 내 님이 싱겁게 웃고 있네.
멍청하게 말 못하고 서 있던 그 님이 매섭게 바라보네.
개울 건너 나뭇가지 되어 날 못 잊어 손 흔들며 서 있네.

봇짐

별도 달도 숨은 밤에 잠은 안 오고
밥 한끼를 배불리 못 먹인 두 아들이 생각이 나네.
하루 한끼를 먹이지 못한 체 말라가는 두 아들을 보며
나는 또 봇짐을 꾸린다.
유난히 정이 많아 견디기 어려운 타관 객지에서
또 한번에 고비를 넘겨 본다.

타관살이

겨울엔 집을 떠나 시내에서 식당을 돌며 돈을 벌어
봄이면 집으로 돌아가 농사를 지어야 했던 철 없던 시절을
떠올려 본다.
온갖 뜬소문은 날 놀려도 나는 끄떡 없네.
하늘이 알고 땅이 알기에 돈 백만 원을 벌기 위해 3개월의
객지 생활은
피눈물로 얼룩져도 두 아이의 눈물만 하오리.
스레드 지붕 아래 골방에는 담배 연기 가득한 방에
노름꾼의 함성은 커져간다.

밥 한끼

나에게 밥이란 큰 의미가 담겨 있다. 밥 한 숟가락이 목숨과도 같다. 밥을 먹기 위해 18살에 시집을 갔으나 밥을 얻어다 먹는 집이었다. 아이를 낳고도 대접을 못 받고 첫 국밥은 큰 아들 낳고 먹은 것이 다이고 그나마 동서가 하는 말 기다리지도 않는데 애는 잘 낳아요~ 다.

애미가 잘 먹어야 젖도 잘 나오지 우리 두 아들은 얼굴에 살이 오른 적이 한번도 없다. 오히려 하루 한끼만 먹다가 두끼 먹으면 설사하고 토한다. 삐쩍 마른 아프리카 아이들처럼 커가는 모습을 볼 수가 없었다. 나는 미칠 것 같았고 머리가 돌았나 한 주먹씩 빠지는 머리를 감당할 수가 없었다. 영양이 부족한지 일은 산더미고 머리에 거미줄 같은 하얀 실이 나와서 할매에게 갔더니 죽을 병이란다. 나는 멀리 멀리 도망을 갔다. 그곳이 인천이다. 할머니가 일러준 대로 참빗에 실을 엮어서 머리를 빗으면 실이 나오고 나오고 밥을 배불리 먹으니 머리에 실이 사라졌다. 내가 살아야 아이들을 볼 수 있기에 돈을 벌며 강화 적석사에 가서 불공을 들이며 살아갔다. 아이들을 배불리 먹이지 못했던 죄책감에 시달려 지금도 아이들을 못 본다. 눈물이 나와서 투정 없이 커가는 아이들 속에 수많은 밥그릇은 비워있었고 자꾸만 작아지는 밥그릇에 눈물 떨굼은 나의 설움이니라. 지금도 배고픔을 못 참는 나는 밥 한끼 먹여주는 사람 있으면 누구든 따라가겠다 했더니 우리 남편이 데려갔다. 맹꽁이 남편이 누구에게도 신세를 지거나 짐이 되는 것이 싫은 나는 우리 딸을 낳고도 부업에 오만걸 다하며 살림에 보탰다. 밥을 얻어 먹으려 왔는지 주러 왔는지 모른다.

가을

가을 하늘은 더 높다. 하늘을 보라고 보라니까.

맑은 하늘은 어쩜 저리 맑으냐구요.

내 마음이 두둥실 떠올라 저 맑고 깊은 하늘에 빠지고 싶어
라.

어쩌냐 어쩌냐고 철 없는 날 보라고 하늘아.

들국화

하이얀 속살은 찬 이슬에 잎을 모으고
노오란 혀끝은 군침을 삼켰나
파란 저고리에 수줍은 입술로 나를 유혹하지만
너무나 맑고 맑은 너의 모습에
쉽게 다가가지 못하고
살짝 앉아나 볼까나 나비 되어서.

사랑

여름 따라 타올랐던 사랑이 저만치 가 버리고
애끓은 가슴만 안고 뒹군다.
머지 않아 가을이 사랑을 싣고 오려나 기대해 보지만
왠지 올 것 같지 않다.
마치 못 다한 사랑을 꿈꾸며 애닯아 해 보지만 소용없는 일
이다.
나는 나는 어쩌란말이냐.
전정한 사랑을 해보지도 못한 체 늙어버렸으니.

멀어져 간 사랑

못 잊어 불러보는 그 이름은 잊지 못하고
부르고 부르고 불러도 메아리만 내 가슴에 남네.
어쩌다 마주친 너의 영혼은 나비 되어 내 어깨에 앉아도 보
고
앞서거니 뒷서거니 춤을 추어 보지만 난 알지 못하네.
서글픈 내 사랑이 저만치 가네.

나는 못 잊어

가을을 남기고 떠난 사랑이 왜이리 슬픈지
손 내밀면 닿을 듯 닿을 듯 한데
가지 못하고 애가 타버린 세월이 야속하여라.
만지면 톡하고 터질 것만 같은 나의 사랑이
저만치 울고 있네, 그림자 되어.

기대

마음이 설레고 기쁘다는 것은 좋은 것인듯싶다.

아직은 이 나이에 예쁜 마음이 있다는 건 기쁜 일이기에 맘껏 즐긴다.

바람만 불어도 설레고 왠지 머리카락이 휘날려도 바람이 모자를 삼켜도 좋다.

가을은 또 나에게 어떤 추억을 안길지 모르지만 나는 잔뜩 기대해 본다.

봄에 찾아 든 여름의 손님처럼 족제비를 선물한 너구리를 안겨준 봄은 그렇게 가고

여름이 날 부르더니 금새 가 버리고 또 가을이 왔다.

나에게 사랑을 안겨줄 가을을 기대해 본다. 가을을.

혼적

낙엽 지는 거리에도 흔적은 남아있고
그대가 지나간 이 길에도 흔적은 고스란히 간직한 체 세월
은 간다.
너와 나의 추억이 깃든 이 거리에서 홀로 서성거려 보지만
어디에서도 그림자도 볼 수 없는 텅 빈 거리에서
잠시나마 너의 흔적을 느껴본다.

기회

살다가 기회가 찾아와 준다면 부끄러워 말고 잡아야겠지. 17
세 예쁜 아이가 버스를 타고 심부름을 갔다 오는데 뒤에서
누가 날 따른다. 골목에서 빨리 몸을 숨겼으나 어찌 찾았는
지 아가씨. 날 보고 하는 말. 성숙한 나를 20대로 보았나 보
다. 훤칠한 내 모습에 반했나 보다. 나는 생각한다. 속 빈 강
정인데 어쩌나. 아가씨 시간되시면 음악다방에 가서 커피나
한잔 할까요? 나는 말이 없다. 못 이기는 척 하고 따른다.
얼굴도 잘생기고 키는 작다. 근데 다리가 절고 있다. 나는
상관 없다. 나는 더 병신인걸. 시끄러운 다방에서 영어로 디
제이한테 떠든다. 음악을 신청하고 선데이 먼데이가 흘러나
온다. 그리고 청계천 사거리 슈퍼집으로 나를 안내한다. 어머
님이 나오고 키가 큰 동생이 있었다. 인사를 하고 나와 거리
를 거닌다. 제가 다리가……나는 괜찮다 한다. 근데 나이가
17세에요. 했다. 22세란다. 맘에 드는데 사귀자고 저는 배움
도 없고 부모도 없다고 했다. 괜찮단다. 대학도 다니고 장남
인데 부모를 모셔야 한다고. 나는 괜찮다고 한다. 바쁜 우리
는 편지를 주고 받는다. 내 편지를 가로챈 편지가 온다. 사

실은 형이 좋아하는데 몰래 편지를 뜯어본 제가 나에게 반했단다. 찾아가 이 사실을 말하고 싶었으나 형제의 의리가 깨질까 봐 못 간다. 어찌 알려야 하나 망설이다가 편지가 오고 또 와도 답장을 못했다. 허나 나의 집을 찾아올 법 했으나 오지 않았고 나는 시골로 내려와 훌쩍 시집을 가버렸다.

아쉬운 마음

곱디 고운 그 모습을 잊지 못하네.
가끔씩 걸음마를 가르치려 했던 내 님은 심술방아에 놀아나
버리고
쌓이고 쌓은 정은 받지 못한 편지 속에 사라져 버리고
다리가 되어주마 굳은 약속은 주마등처럼 스쳐가고
너와 나의 만남은 내 가슴에 남아 있네.
지금은 어느 하늘 아래 머물고 있을 그대를 그려봅니다.
어설펐던 나의 사랑을……

사거리 주막집

사거리 주막집에도 연꽃이 피었다. 주막집 뒤 개천에 맹이가 연뿌리를 몇 개 던져놓았다. 닐리리 맘보만 외치는 족제비가 예쁘다고 난리다. 맹꽁이 염색공장에 왔다 갔다 바쁘고 이제는 주막집도 못 하겠다. 꽁이가 힘에 겨워 못 하겠단다. 술만 담그고 다른 이에게 맡겨야 하나 생각에 잠긴다. 가을은 가고 겨울이 찾아오면 염색집도 한가하니 할 것 같기도 하고 태공들의 술 심부름과 오가는 객들이 흥이 좋은 곳. 밤이면 네온사인 비추는 가로수 사이로 숨바꼭질 하며 노는 이곳이 왠지 정겹다. 갈산동 물레방아 옆에 염색공장도 어여쁘고 몸이 열 개라도 모자란다. 에라 모르겠다. 선인장 꽃으로 술이나 빚어서 먹어야겠다. 안주는 요즘 도라지무침이 맛있다. 고추장에 갖은 양념을 하여 구웠다. 오색집 식구들도 모였다. 오이 넣고 새콤달콤 갑오징어 몇 마리 넣고 무쳐 보았다. 맛있다. 맹이는 오랜만에 취해본다.

무지개 염색집

물레방앗간 옆에 염색집은 시끄럽다. 구찌야~빨리와. 애교쟁이 구찌가 두루미 배달부를 쫓는다. 염색집이 밀리며 배달이 많아졌다. 저리가, 저리가라고. 까칠한 루미가 소리지른다. 맹이는 웃음보 터졌다. 그래도 다행인건 예전 실력을 뽐내며 배달에 연연한다. 누가? 맹꽁이랬다. 두루미랬다 하는 저 녀석이다. 쉿, 성질 더러워 건들지 마라. 구찌는 동네 몇 바퀴를 돈 다음 집에 왔다. 맹꽁은 아예 사거리 주막집엔 안 간다. 맹이가 보고픈지 벗나무 위에 올라 도토리 줍는 듬북과 싸운다. 못생긴 놈이 어쩐다. 듬북은 잘 생겼지. 맹이가 말한다. 발만 성하면 습~즙~맹꽁이 말한다. 맹이 옆엔 다 병신들만 모여 어, 맹이가 멍청이 병신이잖아. 정말 그렇다. 두루미 빼고는 배달 마친 두루미가 나는 마음이 바보다. 웃는다. 식구들이 외눈박이도 외다리도 눈이 잘 안 보이는 지지배배도 오늘 염색도 예쁘다. 풀들을 모아 색을 냈다. 술은 머루주다. 가을이 다 가기 전에 먹어본다. 파김치에 가지무침, 오이소박이, 삼겹살이다.

방앗간

무지개 염색집 옆에 두 딸이 예뻐요. 인옥아, 순덕아 빨리 오라고. 맹꽁이 부른다. 네~오빠. 쟨 왜저래 맹이가 부르면 오지 않더니. 두더지도 듬북도 두루미도 황새, 맵새도 싱글벙글이다. 염색공장에 방앗간집 두 딸이 놀러 오면 난리 난리다. 인옥이 입담이 구수하고 순덕이 이야기는 끝이 없다. 야, 너희들 집에 가. 맹이가 소리 소리 지른다. 너희만 오면 웃느라 일을 못 해요. 인옥이 말한다. 언니~언니가 더 좋아하면서 뚱~하니 찡그리고 있던 두루미도 신이 났다. 인옥아 뭐해주랴 맹이가 설친다. 언니 살쪄요. 인옥이 말한다. 수옥과 은주는 부끄러워 숨어서 웃는다. 언제나 웃고 떠들어도 질리지 않는 동생들이다. 인옥아, 순덕아 내일도 놀러 올 거지? 네~흥 양애 언니가 심술이 났다. 맨날 쟤네들만 이쁘데~언니도 이뻐요. 언니도 이쁜짓 좀 해봐요. 얼른 밥 먹고 이쁜이들 보러 가야지. 굴포천 구찌 데리고 인옥아, 순덕아 밥 먹고 굴포천 가자.

노래자랑

부평풍물축제를 한단다. 언제 어디서 와~시났다. 혜자가 언니 기분도 꿀꿀한데 나가지요? 맹이게 말한다. 여름 내 기운도 없고만 그래도…… 예심은 예심은 이다. 에그 벌서 정했네, 인옥아 볼래 볼래 순덕아 어때 잘하지 신났다. 그러면 뭐하냐. 예심 날 까먹고 청천동 가서 해장국에 막걸리 한잔 먹고 자다가 전화 받고 뛰어 갔으니. 순덕과 인옥이 왜 안 오냐고 난리 났다. 곡목도 바꿔야 하고 칙칙한 것 말고 신나는 걸 부르라고 맹꽁이 그리 일렀는데 수덕사의 여승이 뭐냐. 효녀심청은 눈물 나서 못 부르고 그래도 택시 타고 휭하니 가서 한 곡조 뽑고 오니 너무 좋은데 와~음악학원 다닌다는 사람들이 나왔는데 잘 부르더라. 혜선은 목청이 약하잖아. 그래도 꺽는 건 자신 있어. 박수 함성은 최고였다. 뭐 결과는 땡~아이고 창피해라. 그래도 좋았다.

할매

울 할매 기일이 돌아오고 명사십리 해당화야 꽃이 진걸 서러워 마라. 네 꽃 지고 없다 하여 어찌 너를 잊을소냐. 꽃이 피고 새가 울면 널 본 듯이 기뻐하마. 노래를 잘 부르셨다. 할배가 가시고 그렇게 예쁘게 웃으시는 모습이 사라졌다. 할매는 할배가 참 좋으셨나 보다. 이른 아침 새벽엔 옷소매 둥둥 걷어붙이고 쌀뜬물 받아서 시레기국 끓이고 큰 가마솥은 뜨거운 물이 펄펄 끓고 연기가 가득한 정지엔 웃음꽃이 피었지. 한복을 입고 치마 끝은 질질 끌어도 꽤나 멋이 흐르고 자네가 밥 퍼소 밤, 김 올려 놓았네. 하시며 방으로 들어가시면 할매는 밥을 푸셨다. 아침밥상 머리에서 저녁밥상 머리에서 아들들의 훈계를 잊지 않으시고 아낙인지 남자인지 모를 일들 속에 역사는 흐른다.

할배 생각

50년이 훌쩍 지난 일들이 이렇게 새록새록 생각나고
벗을 잃은 그대여 뭘 그리 슬퍼 우나
낙낙송송 깊은 밤은 길고도 길건만
짚신 한 짝 재 넘어 두고
갓은 버란이 두었던가
한잔 술에 사모곡은 천심을 울려도
못다한 이야기는 내년에 보세.

한탄

- 친정 나들이

까치 까치 추석은 내일이구요. 우리 아들 추석은 오늘이래요. 왜왜~내일은 바빠서 못 오고 오늘 온다네. 해마다 추석이 되면 생각나는 사람, 아버지. 28년전에 아버지 뵈러 갈게요. 우리 남편 될 사람하구요. 몇 백리 길을 운전이 서툰 맹꽁이에게 차를 사주니 좋다고 결혼 전에 처가에 인사하러 간단다. 여수 돌산에 들러 아버지 태우고 새엄마 마여사가 있는 순천에 갔다. 새벽에 출발하여 점심 무렵에 순천에 당도하여 대문을 열고 아버지가 장모님, 저 왔어요. 하며 새엄마 엄마에게 인사하니 쉿, 조용히해, 새엄마 큰 딸인 홍숙이 깬단다. 장모님 아버지 말씀이 옥남이가 왔어요. 라고 하니 알아들었다고. 하지만 자네 안식구는 교회 가서 밥 먹고 온다고 기다리지 말라네. 아버지는 한숨을 쉬며 우리를 마당에 세워 놓은 체 이러지도 저러지도 못 하고 서 있었다. 맹꽁은 가자하고 아버님 안녕히 계세요. 하며 아침도 굶고 점심도 굶은 체 인천으로 왔다. 수 백리 길을 달려갔건만 그렇게 처가 얘기는 안 한다. 추석 때 그렇게 허망하게 친정 나들이가 되었다. 더 이상 김이 모락모락 나는 송편도 쫀득쫀득한 송편도 볼 수가 없다. 베란다 채반지에 삼배바부재에 덮여 있던 새 엄마집에 송편과 전이 참 맛있겠다 싶었고 뜰에 홍시 몇 개가 맛있었겠다. 침을 삼키며 마당에 서 있던 나를 생각해 본다. 님은 가고 없으나 송편 덮은 바부재를 들썩들썩 딸에게 주고 파서 장모님의 눈치를 보았던 내 아버지. 그 마음이 가련하여 오는 길에 투정 없이 왔건만 싸늘한 구들장에 누워 내 신세를 한탄해보네. 님은 가고 없는데.

재천에 가다

아침 7시 30분 출발, 저녁 7시 30분 도착. 추석날 아픈 형을 보겠다며 맹꽁이 길을 나서고 마지막일 수도 있다는 생각에 얼굴이라도 보겠다며 나도 따라 나섰다. 새벽 4시에 일어나 식사를 준비하고 고속도로 넘어로 누렇게 익은 벼를 보며 가을은 드높고 황금 들판은 풍요롭다. 드넓은 들판은 허수아비의 인사와 때 늦은 철새들의 배웅을 맞으며 먼 길을 달린다. 계곡 마다 성묘객이 눈길을 모으고 떡 벌어진 밤 밤 알밤이 나를 반긴다. 원주를 지날 때 동생 옥희의 생각에 잠시 잠기고 성묘객 사이에서 울 아배를 그려본다. 쓸쓸히 누워 잠든 아배를. 맹꽁은 내가 옆에서 노래를 부르니 꽤나 좋은가 보다. 내 볼을 쓰다듬다 손을 만지기도. 왠일, 철드나 보다. 맹꽁이.

생각나네

들깨꽃 여물면 메밀꽃도 피더라.
찬 서리에 단맛 오른 메밀무침은 울 아배가 좋아했는데
길가에 퍼들어진 고들배기는 울 할배가 좋아했는데
텃밭에 속음 배춧국은 내 할매가 시원하다며 잘 먹었고
요맘때 도토리묵은 울 엄마가 잘도 먹었는데.

가을날에

노오란 단풍 든 깻잎 김치는 내가 제일 좋아하고
요맘때 파김치는 맹꽁이 잘 먹는다.
새콤달콤 색힌 고추는 울 삼촌이 잘 먹었고
고구마순 깔고 갈치조림은 맹꽁이 잘 먹는데
텃밭에 비듬나물은 울 고모가 잘 먹는데
오늘따라 식구들이 생각나네.
가을 날에.

가을

해질 무렵 누렇게 익은 벼를 보고
제법 꽃 몽우리가 탐스러운 들깨 몽오리
키 자랑을 하며 뽐내던 수수는 고개가 고개를 떨구고
한가로운 가을 들녘을 걸어간다.
잠시나마 풍요로움을 느끼며.

인생

한번 왔다 가는 인생, 천 년을 못 살면서
이고지고 가려니 못 가겠고 근심이네.
보잘것없는 인생이 미련이야 있겠냐만은
막내딸 고운 눈을 보지 못하고
투정 어린 말 한마디 가슴에 맺힐라.
두고 보자 하여도 모래탑 허물고
가시 되어 목에 걸린 돌탑은 쌓여만 가네.

사랑

불꽃처럼 타올랐던 사랑이 시들어 갈 때면
애가타는 만큼 서러워라.
저무는 들녘에서 감춰 놨던 욕망을 꺼내 보지만
나이에 걸맞게 꺼져가는 불꽃이 느껴진다.
거칠은 성정만큼 불탔던 욕망도 욕심도 애써 잠재우려 하지
않는다.
금장 시들까봐 애써 아껴본다.
안타깝게도.

거리에서

벌처럼 쏘아대고 나비처럼 날아도
나무랄 자 없는 이 곳이 나는 나는 좋다.
아무도 없는 거리에서 어쩌다 마주친 맹꽁이 가족이
거리를 헤메이다 걷는 날 방해해 보지만
거침 없이 펼쳐진 이 거리가 너무 너무 좋다.
아이처럼 까불어 대도 나무라는 이 없으이.

못난이

못난이 녀석이 그리운 밤에 여드름이 뽀드득 뽀송이 뺀질이
순둥이 곱슬머리 녀석이 보고파서 어쩌냐. 털털이 큰놈이 심
술을 부리고 재주를 잘 넘던 둘째가 무릎이 툭 튀어나온 얼
굴로 날 부르네. 개울 건너 손짓하네. 날 오라고. 희미해진
그림자는 멀어져 가고 저 강물인가 저 바다인가 깊고 깊은
물은 건너지 못하고 허둥 허둥 바둥 바둥대다가 잠에서 깨
어 조용히 불러 본다. 내 아들을~그리움에 사무쳐 목은 잠
기고 소리 없는 흐느낌은 신중 달래고 눈치 없는 소낙비는
내 마음 같아라~

한의원에 가다

인천 한의원 원장님들 감사해요. 요즘 바보 맹꽁이 바쁘다. 점점 쇠약해져 한의원에 일주일에 두 번 간다. 작전동 인천 한의원을 소개 받은 지가 5년이 지났다. 흥~한의원이 거기서 거기지 뭘. 올 5월달에 신장치료를 하러 마음먹고 인천 성모병원에 예약했었다. 점점 늘어만 가는 양약을 감당할 수가 없다. 고지혈증, 간 수치가 나쁘다 뇌 영양제, 녹내장, 골다공증, 혈압약, 오메가, 뉴테인, 비타민을 하루에 7개의 약을 먹으려니 힘들다. 식탁 한 귀퉁이에 약봉지가 수두룩 하다. 병원 가는 것도 일이다. 한달 내~내 망설이다가 한의원을 선택했다. 처음 만난 안지우 원장님 예약이 힘들어 3시간 씩 기다리다 침을 맞고 올 때도 있다. 일 끝나고 가서 진료받고 집에 오면 한밤중, 지금은 일주일에 두 번 간다. 석규환 원장님, 길동인 원장님, 박주석 원장님, 안지우 원장님, 김태원 원장님, 김수환 원장님 닥치는 대로 맞는다. 한 달에 한 가지씩 약을 끊었다. 요즘은 혈압약까지 5개 끊었다. 처음에 약 끊으면 몸의 반응이 오지만 참고 견딘다. 나는 소음인이란다. 위로 열이 많고 화가 쌓여 있단다. 음식을 가려 먹으란다. 돼지고기, 하얀 쌀, 생선, 넙적한 갈치, 우럭, 민어, 복어, 가자미, 야채, 오이, 상추, 배추, 과일은 토마토, 키위, 바나나, 포도. 먹는걸 가려야 하지만 그냥 고루 먹는다. 쉿, 비밀. 선택은 잘 한 것 같다. 한의원 원장님 고맙습니다. 감사해요.

맺음말

감사함을 전합니다.

책을 낸 동기는 나를 부를 때 이름이 없이 그년 저년 이 놈아 가시나야 지지배가 듣기 싫었고 못난이를 못난이라 부르는 게 당연하지만 못난이로 바보 천치 취급하는 친자들이 서운했답니다. 아무도 알아 줄리 없는 밤에 가로등 밑을 서성이다가 어린 시절 오지 않는 부모님을 기다리다 병이 돼버린 가슴 안고 살기가 버거워 이 세상의 끈을 놓으려 했지요. 이제는 하나님과 싸우려 하는 나이다 보니 무서울 것도 두려울 것도 없답니다. 누가 인정 안 해도 내가 있고 네가 있는 한 이 세상은 존재한답니다.

나는 부모도 원망을 하지 않았고 아버지 노름빚에 팔려 15살에 남의 집에 식모로 팔려가도 남편이 나를 투전판에 끌고 가 빚 보증을 서게 해도 기꺼이 응하고 내 등에 수많은 아가들이 매미가 되어 울 때도 울지 않게 잘 돌봤고 고사리 손으로 똥 기저귀를 개울가에 얼음을 깨고 빨며 손이 얼어도 잘도 견뎠지요. 삶의 고통 속에서 나는 숙제를 잘하였고 어른들의 말이 떨어지기가 무섭게 일을 잘 하기에 나의 숙제는 끝날 줄 몰랐습니다. 삶이란 무엇인가? 밥 한끼 먹기가 이토록 힘이 든다면 안 먹는 방법은 죽는 수 밖에 없었기에 물에 빠져 죽으려 하면 물에 비친 내 모습이 곱디 고와서 못 죽고, 살고자 몸부림 치다 용기를 내어 장사라도 하려 하면 요술램프가 귀인이 되어 기적을 이루며 살았답니다. 세월은 흘러 꽃이 피고 지듯이 계절은 찾아오고 해와 달은 변함없이 뜨고 지듯이 인생은 그렇게 흘러 갑니다.

18세 짓밟힌 나의 순결과 나의 인생이 애닲고 원통하여 가상 속에 사랑을 해보고 꺾어진 꽃은 애통함을 금치 못한 체 살다가 글을 쓰면서 실타레처럼 벗기고 풀고 감고 하여 봤습니다. 글이란 걸 쓰길 잘 한 것 같습니다. 나의 영혼을 담고 나의 사랑을 담고 나의 인생을 담고 나의 청춘을 담아 구구절절 이야기를 펼쳐 보았다. 타이프를 쳐준 진영씨에게 감사합니다. 돈이 있다고 책을 낼 수 있는건 아닙니다. 못난 글을 낼 수 있게 제 글을 받아준 허 대표님께도 감사의 인사를 드립니다. 내가 어려울 때나 하고자 한다면 못할 게 없지요. 그때 그때마다 어디선가 동서남북에서 귀인이 나타나 저를 돌봐준답니다. 참으로 기적 같은 일이지요. 감사한 일이구요. 돈으로도 살 수 없는 일들이 언제나 제 곁에 있답니다. 하늘에서도 땅에서도 늘 나를 지켜주는 그 무엇인가 꼭 있는 것 같은 느낌을 받으며 살고 있지요. 진영씨 고마워요. 사랑합니다.

최혜선 올림